D1194806

신경 끄기의 기술

THE SUBTLE ART OF NOT GIVING A F*CK

신경 끄기의 기술

마크 맨슨 지음 | 한재호 옮김

인생에서 가장 중요한것만 남기는 힘

차례

프롤로그 가장 중요한 것만 남기고 모두 지워버려라 — 9

1 애쓰지 마, 노력하지 마, 신경 쓰지 마 15

세상에서 자기계발서와 가장 거리가 먼 남자 17
자기계발의 진실, '너는 부족해' 20
불안이라는 지옥의 무한궤도 22
할아버지는 말했지 "사는 게 다 그렇다, 가서 삽질이나 해" 24
애쓰지 마, 노력하지 마, 신경 쓰지 마 26
인생의 터닝 포인트, 신경 끄기의 기술 30

2 해피엔딩이란 동화에나 나오는 거야 37

우리의 인생을 결정짓는 2가지 질문 39
실망 판다가 알려준 불편한 진실 43
부유함을 버리고 고통받는 삶을 택한 왕자 47
문제는 계속된다, 바뀌거나 나아질 뿐 51
삼키기 싫은 알약을 삼켜야 할 때 54

3 왜 너만 특별하다고 생각해? 59

'모두가 위대한 사람이 될 수 있다'라는 헛소리 61

스티브 잡스가 될 거라는 망상에 빠진 벤처기업가 63

최고 혹은 최악, 1%가 되어야 한다는 강박증 69

모든 것이 산산이 부서진 최악의 하루 72

당신은 유망주도 아니고 실패자도 아니다 81

4 '고통을 피하는 법'은 없어 83

자기 파괴적 이상에 일생을 바친 사람들 85

외제차를 갖지 못해서 불행하다는 착각 91

메탈리카에서 하루 아침에 쫓겨난 남자 97

같은 시련을 겪고도 다른 결말을 만들어낸 비틀스 전 멤버 100

완전히 무시해도 좋은 엉터리 가치들 103

더 나은 삶을 원한다면, 더 나은 가치에 신경 쓰라 107

우리의 삶을 변화시킬 5가지 가치 — 111

5 선택을 했으면 책임도 져야지 113

42.195킬로미터를 어떻게 달릴 것인가 115

사회 부적응자를 최고의 석학으로 만든 선택 117

그 이별은 결국 내 책임이었다 120

말랄라가 총에 맞서 지키려고 했던 것 127

어떤 패는 태어날 때부터 주어진다 130

할 거면 하고 말 거면 말아, '어떻게'는 필요 없어 133

6 넌 틀렸어, 물론 나도 틀렸고 137

확실한 건, 확실한 게 아무것도 없다는 사실 하나뿐 139

매 순간 거짓말을 생각해내는 사람들 144

'내 가슴이 시키는 대로'라는 엉터리 충고 147

그릇된 가치를 맹신한 나머지 스토커가 된 여자 153

나에 대한 확신이란 얼마나 위험한가 159

매일 덜 틀린 사람으로 거듭나는 법 162

7 실패했다고 괴로워하지 마 169

잃을 게 없어서 두려운 게 없었다 171

피카소가 3만 장의 그림을 그릴 수 있었던 이유 173

견딜 수 있는 고통을 선택하라, 그리고 견디라 176

전쟁에서 살아남은 이들의 고백 180

실패를 받아들이는 법, '뭐라도 해' 182

8 거절은 인생의 기술이야 189

모든 걸 버리고 떠난 여행에서 깨달은 것 191

무엇을 거부할지 선택하라. 그것이 너다 196

로미오와 줄리엣의 사랑이 불건전한 이유 198

관계를 무너뜨리는 선의의 거짓말 206

선택지가 많을수록 더 필요한 기술 211

9 결국 우린 다 죽어 215

인생 최악의 순간에 찾아온 깨달음 217

죽음이 남긴 질문, 나는 무엇을 남길 것인가 222

감사의 말 — 234

프롤로그

가장 중요한 것만 남기고 모두 지워버려라

대부분의 사람이 자기가 뭘 하고 싶은지 전혀 모른 채로 인생을 살아간다. 심지어 학업을 마친 뒤에도, 직장을 잡은 뒤에도, 돈을 벌게 된 뒤에도 그렇다. 25세까지 난 장래 희망을 옷보다도 자주 갈아입었다. 심지어 사업을 시작한 뒤에도, 나는 인생을 살아가며 하고 싶은 게 무엇인지 정확히 알지 못했다. 아마 당신도 나처럼 뭘 하고 싶은지 전혀 감을 잡지 못하고 있을 거라 생각한다. 거의 모든 사람이 이런 일로 몸부림을 친다. "난 뭘 하며 살아가고 싶은 거지?", "내가 열정을 가지고 있는 게 뭘까?", "내가 잘하는 게 뭐지?" 내게 이메일로 이런 질문을 해 오는 사람 중에는 40대와 50대도 있다.

하지만 이건 내가 답할 수 있는 질문이 아니다. 내가 뭐라고 그들에게 이게 옳다, 저게 중요하다와 같은 말을 하겠는가. 하지만 난 고심 끝에 사람들에게 도움이 될 질문을 찾아냈다. 당신의 삶에서 중요한 것과 덜 중요한 것을 구분 짓고, 그에 따른 선택을 할 수 있게 도와줄 질문들 말이다. 앞으로 할 이야기는 바로 그 '기준'에 대한 것이다.

오늘날 우리는 전염성 정신병을 앓고 있다. 한 번 걸리면 삶이 엉망진창이 되고 만다. 이 병에 걸리면 사람은 누구나 실수를 하고, 조금 실패해도 괜찮다는 사실을 절대 깨닫지 못한다. 한 번 넘어지면 일어나지 못할 거라고 믿고 만다. 무슨 헛소리인가 싶겠지만 단언컨대 이것은 생사가 걸린 중요한 문제다.

지난주에 사는 게 괴롭다는 한 남성이 내게 이메일을 보내 왔다. 그는 싫어하는 일을 하며 하루하루를 버티고 있으며, 한때 좋아했던 친구들과도 단절된 상태였다. 그는 우울하다고 말했고 자신을 잃어버린 것 같다고 했다. 자신의 인생이 싫다고 말했다. 하지만 그는 직업 덕에 누리는 생활 방식에 익숙해져, 직장을 그만두는 건 불가능하다고 덧붙였다. 그는 자기가 어떻게 해야 하냐고 물었다.

내 경험에 따르면, 소위 '인생의 목적' 때문에 고민하는 사람들은 항상 자기가 뭘 해야 할지 모르겠다고 불평한다. 하지만 진짜 문제는 '뭘 해야 할지' 모르는 게 아니다. *문제는 그들이 '뭘 포기해야 하는지' 모른다는 거다.*

최대 2조 달러에 달하는 채권 펀드 회사의 CEO인 엘 에리언의 우선순위는 1년에 1억 달러를 버는 것이었다. 그가 제일 중요하게 여기는 건 CEO라는 지위, 전용 헬리콥터와 호화 리무진, 그리고 그가 갈 때마다 그의 대차대조표를 대령하는 은행원이었다. 이런 것들을 얻기 위해 그는 딸과 함께하는 시간을 포기했다. 어느 날, 정반대의 선택을 하기 전까지는 말이다.

그는 딸과 더 많은 시간을 보내기 위해 돌연 CEO 자리에서 물러났다. 어느날 아이가 적어놓은, '인생의 중요한 순간 22개' 목록을 보게 되었기 때문이다. 생일 파티, 학교 공연, 졸업식 등 크레용으로 휘갈긴 목록 속의 모든 순간에 그는 없었다. 그 다음 날 그는 헤지펀드 일을 그만두기로 했다. 무언가를 얻기 위해서는 무언가를 포기해야 하는 법이니까.

경제학의 기본 개념 중에 '기회비용'이라는 게 있다. 기회비용은 본질적으로 당신이 하는 모든 일은, 그게 무엇이든 간에 간접적으로라도 비용이 든다는 걸 의미한다. 우리는 특별한 일을 해서 부자가 된 사람들을 찬양한다. 하지만 이런 '특별한 일'은 보통 극도로 높은 기회비용을 요구하는 법이다. 빌 게이츠는 일주일에 5일을 사무실에서 자며 30대의 대부분을 보냈으며, 스티브 잡스는 큰딸을 제대로 돌보지 못했다. 브래드 피트는 플래시 세례를 받지 않고서는 집을 나설 수 없었고, 유명세로 인한 사회적 고립 때문에 우울증을 겪기도 했다.

요점은, 정말 대단한 일에는 겉으로 드러나든 아니든 희생이 따를 수밖에 없다는 것이다. 딸의 생일을 연속으로 놓치는 것처럼 말이다.

모든 걸 가지려는 사람, 즉 인생의 버킷리스트를 모두 채우려 하는 사람은 아무것도 잃지 않는 인생을 살려고 하는 것과 같다. 어떤 부족함도 용납하지 못하는 태도, 모든 걸 가져야 한다는 믿음이 인생을 '지옥의 무한궤도'에 빠지게 만든다. 우리에게 필요한 것은 '신경 끄기의 기술'이다. 이 기술은 삶의 방향을 재조정하고 중요한 것과 그렇지 않은 것을 구분하게 해주는 단순한 방법이다. 이 능력을 발달시키면, 이른바 '실용적 깨달음'이라는 것을 얻을 수 있다.

영원한 행복이라느니, 모든 시련의 끝이라느니 하는 약장수가 하는 말이 아니다. 실용적 깨달음이란, 삶이 늘 어느 정도 고통스럽다는 사실을 순순히 인정하는 것을 뜻한다. 즉 우리가 무슨 일을 하며 어떻게 살아가든 인생은 실패, 상실, 후회를 수반하고 마지막엔 죽음이 찾아온다는 것을 받아들이는 것이다. 삶이 우리에게 끊임없이 던지는 엄청난 고난들을 순탄하게 받아들일 때, 우리는 비로소 천하무적이 될 수 있다. *단언컨대 고통을 극복하는 유일한 길은, 고통을 견디는 법을 배우는 것이다.*

나는 당신의 문제나 고통 자체를 덜어주는 데는 관심이 없다. 바로 이것이 내가 솔직하다고 말할 수 있는 이유다. 이 책은 위대함으로 향하는 길을 알려주는 안내서가 아니다. 위대함이란 그저 우리 마음이 만들어낸 환상이자, 우리가 스스로에게 강요한 가짜 목적지 혹은 내 머릿속의 아틀란티스이기 때문이다.

대신 나는 고통을 '도구'로, 트라우마를 '힘'으로, 그리고 문제를 '조금 더 나은 문제'로 바꿔 놓을 것이다. 이것이 진정한 발전이다. 이 책을 고통으로 가는 길을 알려주는 안내서로 생각하라. 어떻게 하면 그 길을 더 따뜻하고 겸손하고 의미 있게 갈 수 있는지를 알게 될 것이다. 무거운 짐에 짓눌리면서도 한발 더 나아가고, 엄청난 두려움에 떨면서도 잠시 마음 놓고 쉬며, 결국엔 스스로의 눈물을 비웃게 될 것이다.

나는 원하는 바를 성취하는 법을 알려줄 생각이 없다. 대신 포기하고 내려놓는 법에 대해 말할 것이다. 인생의 목록을 만든 다음, 가장 중요한 항목만 남기고 모두 지워버리는 방법을 안내할 것이다. 눈을 감고 뒤로 넘어져도 괜찮다는 것을 믿게 해줄 것이다. 신경을 덜 쓰는 기술을 전할 것이다. 하지 않는 법을 가르쳐줄 것이다.

1

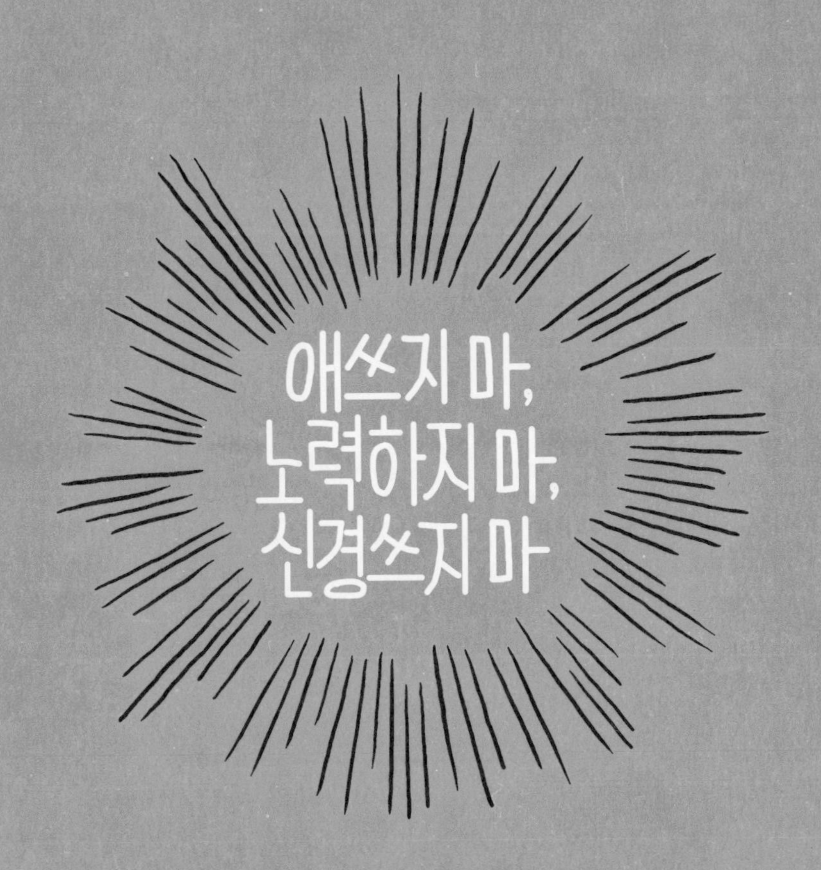

"둘 중 하나를 선택해야겠군요.
이곳에 남아서 돌아버리거나,
나가서 작가 놀이를 하며 굶거나.
전 굶기로 했습니다."

– 찰스 부코스키

세상에서 자기계발서와 가장 거리가 먼 남자

미국 문단에서 '언더그라운드의 전설'이라 불리던 찰스 부코스키. 그는 주정뱅이, 바람둥이, 노름꾼, 망나니, 구두쇠, 게으름뱅이였으며, 설상가상으로 시인이기도 했다. 그로부터 인생살이에 관한 조언을 얻으려 한다거나 그의 이름을 자기계발서에서 보리라고 기대하는 사람은 아마 아무도 없을 것이다.

그래서 부코스키는 이 책을 시작하기에 그야말로 완벽한 인물이다. 그는 작가가 되고자 했다. 그러나 수십 년 동안 투고를 했음에도 그의 작품은 잡지와 신문, 학술지, 에이전트, 출판사에서 번번이 퇴짜를 맞았다. 이들은 부코스키의 작품이 소름 끼치게 조잡하고, 역겨우며, 추잡하다고 평가했다. 거절을 당할수록 실패의 무게는 그를 짓눌렀고, 결국 그는 알코올 중독과 우울증에 빠져 죽는 날까지 헤어나지 못했다.

부코스키는 원래 우체국 사무원이었다. 쥐꼬리만 한 월급의 대부분을 술을 퍼마시는 데 써버리고, 나머지는 경마장에서 날렸다. 밤이 되면 낡아빠진 타자기 앞에 앉아 홀로 술잔을 기울이며 머리를 쥐어짜 시를 쓰기도 했으며, 고주망태가 되어 마룻바닥에 널브

러졌다가 그대로 아침을 맞이하기 일쑤였다.

그렇게 30년을 흘려보냈다. 술과 마약, 도박, 매춘에 빠져 비틀댄 무의미한 나날이었다. 실패와 자기혐오로 점철된 세월을 지나 50세가 되었을 때, 작은 독립 출판사의 편집자가 웬일인지 그에게 흥미를 보였다. 편집자는 그에게 큰 계약금을 제시할 수도, 높은 판매 부수를 약속할 수도 없었다. 하지만 이 주정뱅이 '루저'에게 묘하게 끌린 나머지, 모험을 해보기로 했다. 난생 처음 부코스키에게 일생일대의 기회가 찾아온 것이었다. 자신에게 이런 기회는 십중팔구 다시 오지 않을 것을 알고 있던 그는 편집자에게 답장을 보냈다.

"둘 중 하나를 선택해야겠군요. 우체국에 남아서 돌아버리거나, 나가서 작가 놀이를 하며 굶거나. 전 굶기로 결정했습니다."

계약서에 사인을 마친 부코스키는 불과 3주 만에 자신의 첫 장편 소설을 내놓았다. 제목은 그냥 『우체국(Post Office)』이라고 붙이고, 헌정사는 "이 책을 아무에게도 바치지 않습니다"라고 썼다. 그는 단숨에 성공한 소설가이자 시인으로 발돋움했다. 6편의 소설과 수백 편의 시를 출간해서 200만 부가 넘는 책을 팔았다. 그의 인기는 모든 이의 예상을, 무엇보다 자신의 예상을 뛰어넘었다.

부코스키의 이야기와 같은 성공담은 미국 문화를 설명할 때 결코 빠질 수 없는 요소다. 그의 삶은 아메리칸드림이 무엇인지 생생히 보여준다. 누군가 목표를 위해 분투하며 끝까지 포기하지 않다가 결국 그 허황된 꿈을 이루는 이야기 말이다. 사실 그런 건 영화에나 일어날 법한 일인데도 우리 모두가 이렇게 말한다. "봤지? 부코스키는 포기를 모르는 사람이었어. 절대 멈추지 않고 끈질기게 노력했지. 항상 자신을 믿고 온갖 역경을 헤쳐나간 끝에 성공한 거야!"

그런데 이상하게도 부코스키의 묘비에는 이런 글귀가 적혀 있다. "애쓰지 마."

책이 날개 돋친 듯 팔리고 명성을 얻었음에도 부코스키는 루저였고, 스스로도 그걸 알았다. 그가 성공한 건 '위너'가 되려는 열망 때문이 아니었다. 그는 자신이 루저임을 받아들였고, 그것을 숨김없이 글로 풀어내 성공할 수 있었던 것이다. 부코스키는 한평생 자신이 생겨 먹은 대로 살았다. 그의 천재성은 엄청난 역경을 극복했다거나 출세해서 당대의 문호가 되었다는 점에 있지 않다. 오히려 그 반대다. 부코스키는 자신을, 특히 가장 못난 모습을 숨김없이 오롯이 드러냈으며, 결점을 태연하게 세상과 나누었다. 그의 천재성은 이런 단순한 능력 안에 있다.

부코스키가 **성공한 진짜 이유는 자신의 실패에 초연했기 때문이다.** 그는 성공 따위에는 신경을 끄고 살았다. 유명해진 뒤에도 시 낭송회에 만취한 채로 나타나 독자에게 막말을 퍼부었다. 공공장소와 맞지 않는 옷을 입고, 여자들에게 추파를 던지고 치근덕거렸다. 유명해지고 성공했다고 해서 부코스키가 훌륭한 인간이 되지는 않았다. 그가 훌륭한 인간이 됐기 때문에 유명해지고 성공한 것도 물론 아니었다.

자기계발의 진실, '너는 부족해'

자기계발과 성공은 종종 같이 붙어 다니는 말이다. 하지만 그렇다고 두 단어가 같은 의미는 아니다. 오늘날의 세상은 사람들이 앞날을 터무니없이 긍정적으로 바라보도록 몰아간다. 더 행복하게. 더 건강하게. 모두를 뛰어넘어 최고가 되라. 더 똑똑하게, 더 빠르게, 더 풍족하게, 더 섹시하게. 더 인기 있고, 더 생산적이며, 더 부러움을 사고, 더 존경받으라. 완벽하고 놀라운 사람이 돼라. 매일 아침 완벽한 배우자와 아침식사를 하고, 자녀들에게 뽀뽀하고 손을 흔든 뒤, 전용 기사가 딸린 차를 타고 만족스러운 직장에 가서, 깜짝 놀랄 만큼 중요한 일을 하며 하루를 보내라.

하지만 가만히 생각해보면, 인생에 관해 사람들이 흔히 떠들어 대는 조언—긍정과 행복으로 가득 찬 자기계발 요령—은 사실 *우리에게 '부족한 것'에 초점을 맞추고 있다.* 이런 조언은 개개인이 이미 자신의 결점과 실패로 인식하고 있는 부분을 파고들어, 그것에 몰두하게 한다.

우리가 부자가 되는 비법을 배우는 건, 나는 돈이 없다고 생각하기 때문이다. 거울 앞에 서서 나는 예쁘다고 주문을 거는 건, 내가 못났다고 여기기 때문이다. 연애와 인간관계에 관한 조언을 따르는 건, 사람들이 날 싫어한다고 생각하기 때문이다. 성공하기 위해 웃기지도 않는 이미지 트레이닝을 하는 건, 내가 성공하지 못했다고 여기기 때문이다.

그런데 이상하게도, 긍정적인 마음으로 최고와 최상을 부르짖다

보면, 우리는 반대되는 것들만을 떠올리게 된다. 나와 어긋나는 것, 내게 없는 것, 내가 이루지 못한 것. 이런 일들만 머릿속으로 무한 반복하게 되는 것이다. 진짜 행복한 사람은 거울 앞에 서서 '난 행복하다'고 되뇌지 않는다. 가만히 있어도 행복한데 뭐하러 그런 행동을 하겠는가?

'가장 작은 개가 가장 크게 짖는다'라는 속담이 있다. 자신만만한 사람은 자신감을 증명할 필요를 느끼지 않는다. 진짜 부자들은 굳이 돈을 자랑할 필요를 못 느낀다. 남들이 어떻게 생각하는지도 크게 신경 안 쓴다. 반면 늘 무언가를 꿈꾸는 사람은 무의식적으로 한 가지 현실을 끊임없이 신경 쓴다. 꿈을 이루지 못했다는 현실 말이다.

세상은 우리에게 입을 모아 외친다. 좋은 삶을 살기 위해선, 더 나은 직업과 더 튼튼한 차와 더 멋진 애인 그리고 더 넓은 집을 가져야 한다고. 더 사고, 더 소유하고, 더 만들고, 더 섹스하고, 더 오래 살라고. 이런 메시지에 끊임없이 폭격당한 결과, 우리는 시종일관 모든 것에 신경을 쓰게 된다. 새로 나온 TV에 신경 쓰고, 직장 동료보다 더 멋진 휴가를 보내기 위해 신경 쓰고, 집을 꾸미느라 신경 쓰고.

그런데 광고에서 이렇게 떠들어대는 이유가 뭘까? 사람들이 이것저것에 더 많이 신경을 써야 장사가 되기 때문이다. 소비 자체가 부정적인 것은 아니다. 문제는, 지나치게 많은 일에 신경을 쓰는 게 정신건강에 해롭다는 것이다. 그렇게 살면 천박함과 허세가 몸에 배기 십상이며, 행복과 만족이라는 신기루를 좇는 데 평생을 바칠 수도 있다. *좋은 삶을 살려면, 더 많이 신경 쓸 게 아니라, 더 적게 신경 써야 한다.* 요컨대, 오로지 코앞에 있는 진짜 중요한 문제에만 신경을 쓰라는 말이다.

불안이라는 지옥의 무한궤도

××××××××

우리 뇌는 괴상한 버릇이 있다. 이걸 그냥 내버려 두면 자기도 모르게 정신이 이상해질 수도 있다. 지금부터 하는 얘기가 익숙하게 들리나 한번 확인해보라.

당신은 타인을 대할 때 불안을 느낀다. 이 불안감은 당신의 정신을 절룩거리게 만들고, 곧이어 스스로 왜 그렇게 불안해하는지를 이상히 여기게 된다. 자, 이제 당신은 불안해서 불안해지는 단계에 접어들었다. 안 돼! 불안이 2배가 되다니! 불안 때문에 불안을 느끼게 되었으니, 불안은 점점 더 커져만 간다. 가만, 위스키를 어디다 뒀더라?

이번엔 당신에게 분노조절장애가 있다고 가정해보자. 당신은 어리석고 한심한 짓거리를 보면 화가 치미는데, 왜 그런지는 모른다. 그리고 쉽게 화가 치민다는 사실 때문에 더 열이 뻗치기 시작한다. 그러다가 마침내 사소한 일에 길길이 날뛰고 나서야, 허구한 날 화만 내다 보니 자기가 가볍고 속 좁은 사람이 되고 말았다는 걸 깨닫는다. 그리고 그 사실이 싫다. 너무 싫어서 자신에게 화가 치민다. 화가 나서 화를 내고, 또 그런 자신의 모습에 화를 내고 있다. 이런 정신 나간 나란 인간!

항상 옳은 일만 해야 한다는 생각에 노심초사하다가, 그런 걱정이 지나친 건 아닌지 걱정하게 되는 경우도 있다. 실수할 때마다 죄책감을 느끼다가 죄책감의 깊이에 관해 죄책감을 느끼게 되는 건 어떤가. 너무 슬프고 외로운 나머지, 그저 그 사실을 생각하는 것만으로 더 슬프고 외로워지는 건 또 어떻고.

지옥의 무한궤도에 걸려든 걸 환영한다. 아마도 처음은 아닐 것이다. 설마 지금 이 순간에도 그 안에 있는 건가? "이런, 맨날 여기서 뱅뱅 돌고 있다니 난 정말 루저야. 이걸 멈춰야 해. 맙소사, 내가 나를 루저라고 부르니까 진짜 루저가 된 느낌이 드네. 다시는 나를 루저라고 하지 말아야지. 이런, 젠장! 또 나를 루저라고 했잖아! 그런 건가? 난 루저인 건가? 으악!"

이봐, 진정해. 믿기 힘들겠지만, 이건 인간의 강점이다. 지구상에서 논리적인 생각을 할 수 있는 동물은 극소수다. 하지만 우리 인간은 생각에 관해 생각하는 호사를 누린다. 그래서 나는 유튜브에서 마일리 사이러스의 영상을 보고 싶다고 생각할 수 있고, 즉각적으로 그런 생각을 한 내가 얼마나 미친놈인지에 관해 생각할 수 있다. 아, 의식의 신비란!

문제는 이거다. 오늘날 우리 사회는, 경이로운 소비문화와 '야, 내가 너보다 멋지게 살아!'라고 외치는 소셜 미디어를 통해, 전 세대가 불안, 공포, 죄책감 등과 같은 부정적 경험을 완전히 잘못된 것으로 여기게 만들었다. 페이스북 피드를 보라. 모든 이가 끝내주게 멋들어진 한때를 보내고 있다. 어라, 이번 주에 8명이 결혼했네! TV에서는 고등학생이 생일선물로 페라리를 받는다. 어떤 아이는 화장실에 휴지가 떨어졌을 때 자동으로 휴지를 배달해주는 앱을 발명해서 200만 달러를 벌어들인다.

그런데 당신은 어떤가? 집안에 틀어박혀 고양이 오줌이 묻은 모래나 갈아주고 있다. 이러니 꿈은 높은데 현실은 시궁창이라는 생각을 안 하려야 안 할 수가 없다.

할아버지는 말했지 "사는 게 다 그렇다. 가서 삽질이나 해"

예전엔 어땠을까? 우리 할아버지는 기분이 더러울 때 아마 이렇게 중얼거렸을 것이다. "어이구, 오늘 참말로 기분이 개똥 같네. 근데 사는 게 다 그렇지 뭐. 가서 삽질이나 해야겠다."

지금은 어떨까? 5분만 기분이 안 좋아도, 더할 나위 없이 즐거운 인생을 살아가는 사람들의 사진 350장이 융단 폭격을 가한다. 그러니 내 인생이 뭔가 잘못됐다고 생각할 수밖에. 바로 이런 게 문제다. 우리는 기분이 나빠서 기분이 나빠진다. 죄책감을 느껴서 죄책감을 느낀다. 화가 나서 화를 낸다. 불안해서 불안해진다. 대체 왜 이러는 거지?

그래서 우리에겐 신경 끄기가 필수다. 신경 끄기야말로 세상을 구할 것이다. 그러기 위해선 '세상이 엉망진창이라는 것'과 '그래도 괜찮다는 것'을 받아들여야 한다. 왜냐면 세상은 여태 그래 왔고, 앞으로도 그럴 거니까.

더러운 기분에 신경을 끄면, 지옥의 무한궤도를 끊고 자신에게 이렇게 말할 수 있다. "기분이 더럽군. 근데 그래서 어쩌라고?" 그러면 신기하게도 더는 기분이 나쁘다는 이유로 자신을 미워하지 않게 된다.

조지 오웰은 코앞에 있는 것을 똑똑히 보려면 끊임없이 투쟁해야 한다고 말했다. 스트레스와 불안을 해결하는 방법은 바로 우리 코앞에 있다. 그런데 우리는 야동과 엉터리 복근 운동기구 광고를 보는 데 정신이 팔려서 왜 나는 예쁜 애인을 만날 수 없을까, 왜 나는 초콜릿 복근을 얻을 수 없을까 괴로워한다.

우리는 먹고 사는 것과 상관없는 문제를 두고 온라인상에서 농담을 주고받는다. 우리들의 가장 흔한 걱정은 끼니 해결이라기보다 깨진 핸드폰 액정 같은 것들이다. 하지만 실상 우리는 우리가 이룩한 성공의 피해자다. 모두가 평면 TV를 소유하고 식료품을 배달시킬 수 있음에도, 지난 30년 동안 스트레스성 질환, 불안장애, 우울증 환자 수는 급증했다. 현재 우리가 직면한 대부분의 위기는 과거와 달리 물질적인 것이 아니라, 실존적이고 정신적인 것이다. 물질과 기회가 너무나 많다 보니, 우리는 정작 어디에 신경을 쓸지 갈피를 못 잡는다.

현재 우리는 셀 수 없이 많은 것을 볼 수 있고 알 수 있다. 그 덕에 셀 수 없이 많은 방식으로 기대에 못 미치고, 부족하고, 일이 생각처럼 풀리지 않는다. 이것은 우리의 내면을 갈가리 찢어놓는다. 지난 몇 년간 페이스북에서 800만 번이나 공유된 엉터리 '행복론'에는 공통적인 허점이 있다. 이런 개똥철학에 대해 사람들이 모르는 점은 다음과 같다.

더 긍정적인 경험을 하려는 욕망 자체가 부정적인 경험이다. 그리고 역설적이게도, 부정적인 경험을 받아들이는 것이 곧 긍정적인 경험이다.

혼란스러운가? 그럼 1분 줄 테니 두뇌 회로를 바로잡고 다시 읽어보라. 긍정적인 경험을 원하는 건 부정적인 것이고, 부정적인 경험을 받아들이는 건 긍정적인 것이다. 철학자 앨런 와츠는 이것을 '역효과 법칙'이라고 불렀다. 이 법칙에 따르면, 기분을 끌어올리려 하면 할수록 점점 더 불행해진다. 뭔가를 바라는 행위는 무엇보다 내가 그걸 갖지 못했음을 강조하기 때문이다. 지금보다 부자가 되기를 간절히 바랄수록, 실제로 돈을 얼마나 버는지와는 무관하게 자신을 더 가난하고 하찮은 사람이라고 느끼게 된다. 더 섹시하고 더 멋있어지고 싶어 할수록, 실제 외모와는 무관하게 자신이 더 못나 보인다. 더 행복하고 사랑받기를 열망할수록, 주변에 누가 있는지와는 무관하게 더 외롭고 근심도 많아진다. 정신적으로 더 깨어 있기를 원할수록, 더 자기중심적이고 천박한 사람이 된다. 이건 마치 술에 취했을 때, 집으로 다가가려 하면 할수록 집이 멀어졌던 느낌과도 같다.

애쓰지 마, 노력하지 마, 신경 쓰지 마

실존주의 철학자 알베르 카뮈는 말했다(난 그가 당시에 취하지 않았으리라고 확신한다). "행복이 무엇인지 계속 묻는다면 결코 행복할 수 없다. 인생의 의미를 찾아 헤맨다면 결코 인생을 살아갈 수 없다."

한마디로 하면, "애쓰지 마."

지금 당신이 투덜대는 소리가 여기까지 들린다. "마크, 당신 말을 들으니 온몸에 소름이 돋아. 하지만 난 차를 사려고 돈을 모으고 있어. 굶어가며 해변용 몸을 만들고 있고. 값비싼 복근 운동기구도 샀어! 게다가 호숫가 큰 집에 살기를 꿈꿔왔어. 이런 것들에 신경을 끄라고 하면, 맙소사, 그러면 난 아무것도 성취할 수 없잖아. 난 그러기 싫은데, 어쩌지?"

좋은 질문이다. 하지만 생각해보라. 신경을 덜 쓸 때 오히려 능력을 발휘한 경험이 있을걸? 성공에 무심한 사람이 실제로 성공하는 경우가 얼마나 많은데! 신경을 껐을 때 모든 일이 술술 풀렸던 경험이 있지 않은가?

역효과 법칙을 '역효과' 법칙이라고 부르는 데는 이유가 있다. 신경 끄기가 역방향으로 작용하기 때문이다. 긍정 추구가 부정적인 것이라면, 부정 추구는 긍정을 낳는다. 가령, 체육관에서 고통을 추구하면, 그 결과로 건강과 활력을 얻는다. 사업에 실패하면, 성공하기 위한 필수 요소를 알게 된다. 역설적이지만 불안을 기꺼이 받아들이면, 사람들 사이에서 자신감과 카리스마를 뽐낼 수 있다. 힘들더라도 바른말을 하면, 상대의 신뢰와 존중을 얻는다. 공포와 불안을 겪고 나면, 용기와 인내를 얻을 수 있다.

이 정도 예를 들었으면 충분하다고 생각한다. *가치 있는 것을 얻으려면, 그에 따르는 부정적 경험을 극복해야 한다.* 부정을 피하거나 막거나 억누르거나 입막음하려는 시도는 역풍을 불러올 뿐이다.

고통 회피는 일종의 고통이다. 투쟁 회피도 일종의 투쟁이다. 실패 부정도 일종의 실패다. 수치 은폐도 일종의 수치다.

고통은, 삶이라는 천에 얽히고설켜 있는 실오라기다. 삶에서 고통을 떼어낸다는 건 불가능할 뿐만 아니라 파괴적인 일이기도 하다. 그 한 가닥을 떼어내려 하면, 천 전체가 풀려버리고 만다. 고통을 피하려 하면, 고통에 지나치게 신경이 쏠리는 법이다. 반면에 고통에 신경을 끌 수 있다면, 어떤 것도 당신 앞을 가로막지 못할 것이다.

나는 인생을 살면서 많은 것에 신경을 썼다. 또한 많은 것에 신경 쓰지 않았다. 그리고 가지 않은 길과 마찬가지로, 모든 걸 바꿔 놓은 건 내가 신경 쓰지 않은 것들이었다. 당신도 분명히 그런 사람을 알 것이다. 어쩌다 한번 신경을 안 썼는데 그만 엄청난 성공을 이룬 사람 말이다. 당신 자신도 그저 신경을 안 썼을 뿐인데 깜짝 놀랄 만한 성과를 낸 적이 있을 것이다. 내 경우 6주 만에 은행을 그만두고 인터넷 사업을 시작한 일이 나만의 '신경 끄기' 명예의 전당의 상위를 차지하고 있다. 가진 걸 거의 다 팔아치우고 남미로 떠나기로 했던 결정도 마찬가지다. 신경을 썼냐고? 아니. 그냥 그렇게 했을 뿐.

우리 삶을 결정하는 건 이런 무신경한 순간들이다. 새로운 직종에 뛰어들기. 어느 날 갑자기 대학을 그만두고 록밴드에 들어가기. 당신의 뒤를 캐다가 들킨 남자친구를 마침내 차버리기로 결심하기.

신경을 끈다는 건 삶에서 가장 무섭고 어려운 도전을 내려다보며 아무렇지 않게 행동에 나서는 것이다.

신경 *끄기*라는 게 얼핏 단순해 보이겠지만, 이건 자동차 엔진 룸 안에 있는 캐러멜 팝콘 한 봉지 같은 거다. 이게 무슨 뜻인지는 나도 모르겠지만, 난 신경 안 쓴다. 그냥 넘어가자.

우리는 신경 쓸 필요가 없는 일에 지나치게 신경 쓰느라 몸부림을 치며 살아간다. 이를테면, 주유소 종업원이 건방지게 거스름돈을 동전으로 준 것에 지나치게 신경 쓴다. 즐겨보던 TV 프로그램이 없어지는 것에 무지하게 신경 쓴다. 또 즐거웠던 지난 주말을 직장동료에게 떠벌리고 싶어 안달한다.

그러는 사이 삶에선, 신용카드가 한도에 도달하고, 반려견이 언짢아하고, 자식이 화장실에서 담배를 피우는 일이 일어난다. 그런데도 우리는 거스름돈과 TV 프로그램에 열을 올린다.

자, 생각해보자. 당신은 언젠가 죽는다. 좀 뻔한 얘기지만 혹시나 당신이 깜빡했을까 봐 하는 말이다. 당신과 당신이 아는 모든 이가 곧 죽는다. 그리고 오늘과 그날 사이의 짧은 기간 동안, 당신이 쓸 수 있는 신경은 얼마 안 된다. 사실, 아주 적을 거다. 그러니 생각 없이 사사건건 신경 쓰며 돌아다니다가는 결국 험한 꼴을 당하고 말 것이다.

여기 신경 *끄기* 기술이 있다. 어이없는 발상으로 들릴지도 모르겠고, 나를 멍청이라고 생각할지도 모르겠다. 하지만 여기서 내가 전하는 말의 골자는 어떻게 하면 효과적으로 자기 생각에 집중해서 우선순위를 매길 것인가다. 다시 말해, 어떻게 하면 정교하게 다듬은 개인적 가치관에 기초해 자신에게 중요한 것과 중요하지 않은 것을 선별할 것인가를 전하는 거다. 이건 엄청나게 어려운 일이다. 평생을 연습하고 단련해야 달성할 수 있을 만큼. 게다가 실패를 밥 먹듯이 할 것이다. 하지만 이것은 우리가 인생을 살아가며 해볼 수 있는 가장 가치 있는 투쟁이자 유일한 투쟁일 것이다.

왜냐하면 모든 사람과 모든 일에 사사건건 신경 쓰다 보면, 나는 늘 평온하고 행복할 자격을 끊임없이 부여받고 있으며 모든 것이 내가 바라는 대로 되어야 한다는 느낌이 들기 때문이다. 이건 병이다. 그리고 이것은 당신을 산 채로 잡아먹을 것이다. 당신은 모든 역경을 불평등으로 여기게 될 것이다. 모든 도전을 실패로, 모든 불편을 개인적 모욕으로, 모든 의견 충돌을 배신으로 받아들일 것이다. 자신만의 좁다란 해골 지옥에 갇혀, 특권과 허세에 불타오르고, 지옥의 무한궤도에서 뱅뱅 돌며, 끊임없이 나아가지만 어디에도 도달하지 못할 것이다.

인생의 터닝 포인트, 신경 끄기의 기술

대부분의 사람들은 신경 끄기라는 말이, 어떤 일이 있어도 태연하고 무심한 태도, 즉 폭풍이 닥쳐도 견뎌내는 고요한 자세 따위라고 생각한다. 이들이 상상하고 열망하는 건 어떤 일에도 흔들림 없으며 누구에게도 굴복하지 않는 인간상이다.

감정이나 의미가 뭔지 모르는 사람을 일컫는 단어가 바로 사이코패스다. 사람들이 왜 사이코패스를 따라가려는 건지 정말 알다가도 모를 일이다.

그렇다면 신경 끄기란 무엇인가? 중요하지 않은 일에 신경을 끈다는 것이 무엇인지 3가지 주의 사항을 보면 명료하게 알 수 있을 것이다.

#1 신경 끄기는 무심함이 아니다. 다름을 받아들이는 것이다

분명히 하자. 무심함에 감탄할 이유는 하나도 없다. 무심함은 자랑거리가 아니다. 무심한 사람은 나약한 겁쟁이다. 이들은 방 귀신에 인터넷 악플러다. 사실 무심한 사람은 너무 많은 일에 신경이 쓰여서 무심한 척하는 것 뿐이다. 이들은 자기 머리를 다른 사람이 어떻게 생각할지 신경 쓰여서 머리를 안 감거나 안 빗는다. 자기 생각을 다른 사람이 어떻게 평가할지 신경 쓰여서 냉소와 독설 뒤로 숨는다. 다른 사람과 가까워지는 걸 두려워한 나머지, 자신을 세상 어느 누구도 이해하지 못할 문제를 가진 특별하고 유별난 유리 같은 존재로 상상한다.

무심한 사람은 세상을 겁내고 자신의 선택이 초래할 결과를 두려워한다. 그래서 절대 의미 있는 선택을 하지 않는다. 자신이 만든 무감각한 잿빛 수렁에 숨어 자아도취와 자기연민에 빠진 채, 시간과 에너지를 앗아가는 삶이라는 불쾌한 것을 끊임없이 외면한다.

우리 삶에는 어떤 진리가 숨어 있다. 사실은 신경 끄기 같은 건 없다는 진리 말이다. 우리는 뭔가에 신경을 써야만 한다. 우리는 생물학적으로 늘 뭔가에 주의를 기울게 만들어졌기 때문에 자연히 늘 신경을 쓰게 된다.

그렇다면 여기서 중요한 질문은 이것이다. *무엇에 신경 쓸 것인가?*

신경 쓸 대상으로 무엇을 선택할 것인가? 근본적으로 중요하지 않은 것에 신경을 끄려면 어떻게 해야 하는가?

얼마 전, 우리 어머니는 친한 친구한테 큰돈을 뜯겼다. 내가 무심한 사람이었다면, 어깨를 한 번 으쓱한 뒤 모카커피를 홀짝이며 「더 와이어The Wire(2002년부터 방영 중인 미국 HBO 채널의 인기 드라마)」의 다음 시즌을 다운로드했을 것이다. 미안해요, 엄마.

하지만 그 대신 난 분노했다. 머리끝까지 화가 나서 말했다. "안 돼요, 그건 아니죠, 엄마. 우리 변호사를 구해서 그 놈한테 쫓아가요. 왜냐고요? 난 신경 안 쓰니까요. 놈을 가만 두지 않을 거예요."

이것은 신경 끄기 주의 사항 1번이 무슨 뜻인지 분명히 보여준다. 우리가 "젠장, 조심해, 마크 맨슨이 신경 안 쓴다는데"라고 말할 때, 우리는 이 말로 마크 맨슨이 '아무것에도 신경 쓰지 않음'을 의미하는 게 아니라, 마크 맨슨이 '목표에 따르는 역경에 신경 쓰지 않음'을 의미한다. 다시 말해, 자신이 보기에 옳거나 중요하거나 고귀한 것을 하기 위해서라면, 누군가를 열 받게 하는 것쯤은 신경 쓰지 않음을 의미한다. 이를테면, 마크 맨슨은 그저 자기가 옳다고 생각한다는 이유만으로 자신을 3인칭으로 서술하는 그런 남자다.

감탄스럽지 않나? 아니, 내가 아니라, 역경을 극복하는 것 말이다. 또 따돌림당하고 배척당할지라도 남들과 발맞추기를 거부하는 것, 자신만의 가치를 지키기 위해 이 모든 것을 감수하는 것 말이다. 피할 수 없는 실패에 맞서 가운뎃손가락을 치켜드는 의지. 역경, 실패, 수치, 또는 몇 번의 '폭망'에도 신경 쓰지 않는 사람들.

어떤 일이든 그저 웃어넘기고 자신이 믿는 바를 행하는 사람들. 그것이 옳다고 생각하기에 그렇게 하는 사람들. 이들은 이것이 자신보다 중요하고, 자신의 느낌과 자존심과 자아보다 중요하다는 걸 안다. *인생에서 마주하는 모든 것이 아닌, 중요하지 않은 모든 것을 향해 "꺼져"라고 말한다. 진짜로 중요한 것에 쓰기 위한 신경을 따로 남겨 놓는다.* 친구, 가족, 목표, 퇴근 후 마시는 맥주 한잔 그리고 혹시 모를 소송을 위해. 이렇게 중요한 것만을 위한 신경을 남겨 놓았기 때문에, 그것들에 신경을 쏟을 수 있다.

삶에는 또 다른 진리가 숨어 있다. 바로 사람들의 웃음거리나 골칫거리가 되지 않고서는 다른 사람의 인생을 바꿀 만큼 중요한 존재가 될 수 없다는 것 말이다. 그럴 수가 없다. 왜냐면 우리에게 고난이 부족할 일은 없기 때문이다. 그럴 일은 없다. 옛말에 "네가 어디로 가든, 그곳에 네가 있다"라고 했다. 고난과 실패도 그렇다. 당신이 어디로 가든, 그곳에 200킬로그램짜리 '똥 덩어리'가 당신을 기다리고 있다. 하지만 괜찮다. 중요한 건 똥 덩어리에서 도망치는 게 아니다. 당신이 기꺼이 받아들일 수 있는 똥 덩어리를 찾는 게 중요하다.

#2 고난에 신경 쓰지 않으려면, 그보다 중요한 무언가에 신경을 쓰라

마트에 갔는데 어떤 할머니가 30센트 쿠폰을 왜 안 받느냐며 계산원에게 고래고래 소리 지르는 광경을 본 적이 있다. 이 할머니는 왜 고작 30센트에 그렇게 신경을 쓰는 걸까?

내가 이유를 말해주겠다. 이 할머니는 집에 앉아서 쿠폰 자르는 일이 유일한 낙일 것이다. 할머니는 늙었고 외롭다. 자식 놈들은 한번 들여다보는 법이 없다. 30년 넘게 데이트도 못 했다. 방귀 뀔 때마다 허리가 끊어지는 듯하다. 연금은 끊기기 직전이다. 할머니는 기저귀를 찬 채 자기가 원더랜드에 있다고 믿으며 숨을 거둘 것이다.

그래서 가위로 쿠폰을 싹둑싹둑 자른다. 그게 할머니의 전부다. 자기 자신과 망할 쿠폰이. 신경 쓸 게 그것뿐인 까닭은 달리 신경 쓸 게 없기 때문이다. 그러니 열일곱 살 먹은 여드름투성이 계산원이 쿠폰을 물리칠 때, 당연히 할머니는 폭발하게 되는 거다. 80년 묵은 신경질을 버럭버럭 부리며 "옛날엔 말이야"와 "요새 것들은 어른 공경할 줄을 몰라"를 폭풍처럼 쏟아내고 마는 것이다.

빌어먹을 여름 캠프에서 아이스크림 나눠주듯 신경질 부리는 사람의 문제는 이거다. 신경질 부리기보다 가치 있는 일이 있어야 거기에 신경을 기울일 텐데, 이들에게는 그런 게 없다.

사소한 일에 지나치게 신경이 쓰인다면, 이를테면 전남친의 페이스북에 새로 올라온 사진, TV 리모컨 건전지의 수명, 원플러스원 행사를 연달아 놓쳐 손 세정제를 못 산 일에 너무 신경이 쓰인다면, 당신 인생에는 신경 쓸 가치가 있는 그럴듯한 일이 없는 거다. 이것이 진짜 문제다. 손 세정제나 TV 리모컨이 아니라.

어떤 예술가에 따르면, 인간의 마음은 문제가 없으면 자동으로 문제를 만들어낼 방법을 찾는다. 내 생각엔 오늘날 대부분의 사람이 인생에서 가장 중요한 문제라고 여기는 것은, 사실 그들에게는 그보다 중요한 걱정거리가 없다는 사실에서 기인하는 부작용일 뿐이다.

그렇다면 우리 인생에 중요하고 의미 있는 무언가를 찾는 일이야말로 우리에게 주어진 시간과 에너지를 가장 생산적으로 사용하는 길일 것이다. 진정으로 의미 있는 것을 찾지 않는다면, 무의미하고 하찮은 것에 신경이 쏠릴 테니까 말이다.

#3 알게 모르게, 우리는 항상 신경 쓸 무언가를 선택한다

신경 끄기는 인간의 본성이 아니다. 사실, 인간은 본성상 과도하게 신경을 쓰게 돼 있다. 풍선이 파란색이 아니라 하늘색이라는 이유로 눈이 퉁퉁 붓도록 우는 아이를 본 적 있나? 하여간 꼬맹이들이란.

어린 시절에는 모든 게 새롭고 신난다. 그리고 모든 게 굉장히 중요해 보인다. 그래서 신경을 엄청 쓴다. 모든 것과 모든 사람에게 신경을 쓴다. 사람들이 나를 어떻게 생각할지, 귀여운 친구가 내게 전화를 했었는지, 양말이 짝이 맞는지 아닌지, 생일 케이크를 무엇으로 할지에 대해.

나이가 들어 경험이 쌓여 가면서 (그리고 긴 세월을 흘려보낸 뒤에야), 이런 것들이 우리 삶에 별다른 영향을 미치지 않음을 깨닫는다. 예전에 귀담아 들었던 조언이 이제는 기억도 나지 않는다. 당시에는 고통을 안겨줬던 거절이 결국엔 오히려 좋은 결과로 이어진다. 사람들은 내 일거수일투족 따위엔 관심 없다는 사실을 깨닫고 그것들에 집착하기를 그만둔다.

기본적으로 우리는 '기꺼이 신경을 쓸 대상'을 좀 더 꼼꼼히 고르게 된다. 이게 바로 성숙이다. 가끔은 성숙해질 필요가 있다. 사람은 진짜로 가치 있는 것에만 신경 쓰는 법을 배울 때 성숙해진다. 「더 와이어」(젠장, 다운로드가 아직도 안 끝났다)에서 벙크 모어랜드는 동료 형사 맥널티에게 이렇게 말했다. "자네가 신경 꺼야 할 일에 끼어든 결과가 이거야."

더 나이가 들어 중년에 접어들면, 또 다른 변화가 생기기 시작한다. 기력이 떨어지는 것이다. 그리고 정체성이 견고해진다. 자신이 어떤 사람인지 깨닫고 그것을 받아들인다. 별 볼 일 없는 부분까지도.

그런데 묘하게도 우리는 그런 과정을 통해 자유로워진다. 더는 모든 것에 신경 쓸 필요가 없다. 사는 게 다 고만고만하다는 걸 있는 그대로 받아들인다. 모두 다 늙어간다는 것, 달에 갈 수 없다는 것, 또는 엠마 스톤을 만날 수 없다는 것을 깨닫는다. 그래도 괜찮다. 삶은 계속된다. 점점 줄어만 가는 신경을 우리 삶에서 가장 가치 있는 부분을 위해 남겨 놓는다. 가족, 절친, 취미 생활을 위해. 그리고 놀랍게도, 그걸로 충분하다. 이런 단순화 과정을 통해 우리는 지속적이고 참된 행복을 얻는다. 그리고 마침내 이렇게 생각하기에 이르는데, 아무래도 정신 나간 주정뱅이 부코스키가 뭘 좀 알았던 모양이다. "애쓰지 마."

2

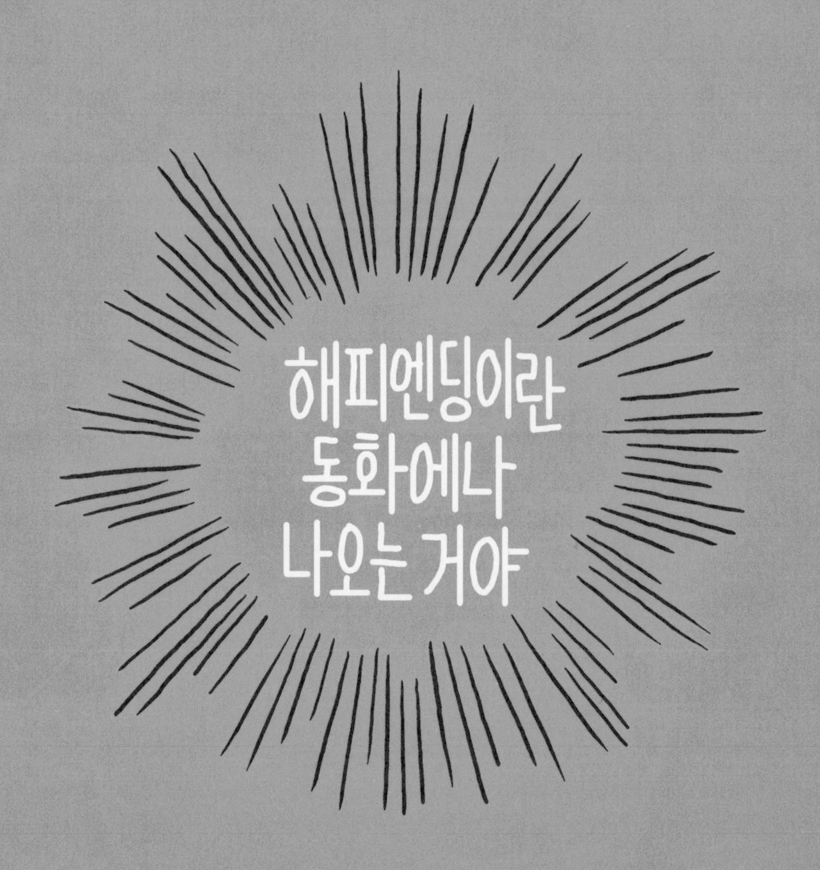

해피엔딩이란 동화에나 나오는 거야

"문제 없는 삶을 꿈꾸지 마.
그런 건 없어.
그 대신 좋은 문제로 가득한 삶을 꿈꾸도록 해."

우리의 인생을 결정짓는 2가지 질문

'당신은 인생이 어땠으면 하는가'라는 질문에 당신이 "단란한 가정을 이루고 좋아하는 일을 하며 행복하게 살고 싶다"라고 말한다면, 이보다 더 뻔한 대답은 없을 것이다. 누구나 좋은 걸 좋아한다. 근심 걱정 없이 행복하고 쉽게 살기를 원한다. 멋진 연인과 황홀한 사랑을 나누길 바란다. 완벽해 보이고, 돈도 많이 벌고, 인기를 얻고, 존경받고, 인정받는 삶을 살고 싶어 한다. 파티장에 들어서면 군중들이 홍해 갈라지듯 쫙 길을 터주는 슈퍼스타의 삶. 모두 그렇게 살기를 바란다. 말은 쉽지.

우리 삶의 방향에 결정적인 영향을 미치지만, 대부분 잘 하지 않는 질문들이 있다. *'당신은 어떤 고통을 원하는가'* 그리고 *'무엇을 위해 기꺼이 투쟁할 수 있는가'*.

사람들은 멋진 몸매를 원한다. 하지만 운동을 하면서 숨이 턱까지 차오를 때 찾아오는 고통과 육체적 스트레스를 견디지 않는 한, 식단을 세심하게 짜고 식사 때마다 양 조절을 하지 않는 한, 그런 몸매는 얻을 수 없다.

많은 사람들이 창업을 원한다. 하지만 위험, 불확실, 반복되는 실패, 무익할지도 모르는 일에 눈 딱 감고 바친 시간의 가치를 알지 못한다면, 사업가로 성공할 수 없다.

사람들은 애인이나 배우자와 함께하는 삶을 꿈꾼다. 하지만 거절을 견뎌낼 때 느끼는 괴로움, 발산하지 못하고 쌓여만 가는 성적 긴장감, 얼빠진 눈으로 종일 바라봐도 도무지 울릴 생각을 안 하는 전화기를 받아들이지 않는다면, 멋진 누군가의 마음을 사로잡을 수는 없다. 이런 것들은 사랑이라는 게임의 일부다. 게임을 하지 않으면, 이길 수도 없다.

또 많은 이들이 시내가 한눈에 내려다보이는 널찍한 사무실과 배 한 척을 가득 채울 만큼의 어마어마한 돈을 원한다. 하지만 끝없이 펼쳐진 '파티션 지옥'을 탈출하기 위해 주 60시간의 노동, 장거리 통근, 역겨운 문서 작업, 수직적인 기업 문화를 기꺼이 감내하려는 사람은 드물다.

환상적인 섹스와 원만한 관계를 원하는 사람들은 많지만, 그를 위해 골치 아픈 대화, 어색한 침묵, 마음의 상처, 감정을 드러내는 심리극을 감수하는 사람은 많지 않다. 그래서 멈춘다. 멈춰 서서 고민한다. '이렇게 하면 어떨까?' 묻고 또 묻는다. '다른 사람을 찾아볼까?'라는 질문이 떠오를 때까지 말이다. 결국 극단의 관계로 치닫고 이혼 소송에 이르게 될 때쯤, 스멀스멀 올라오는 생각. '내가 왜 이러고 있지?' 생활수준과 삶에 대한 기대치를 20년 전으로 되돌리기 위해서가 아니라면, 대체 왜?

왜냐면 행복에는 투쟁이 따르기 때문이다. 행복은 문제를 먹고 자란다. 기쁨은 땅에서 데이지가 솟아나고 하늘에서 무지개가 피어나듯 저

절로 생기는 게 아니다. 인생의 진정한 의미와 성취감은 자신만의 투쟁을 선택해 감내함으로써 얻어야 한다. 당신에게 고통을 주는 것이 불안이나 외로움 또는 강박장애건, 아니면 매일 당신이 깨어 있는 시간의 절반을 엉망으로 만드는 상사건 간에, 해법은 그런 부정적 경험을 받아들여 적극적으로 대처하는 것이다. 피하거나 구원을 바라서는 안 된다.

청소년기부터 나는 음악가, 특히 록스타가 되기를 꿈꿨다. 폭발하는 기타 연주를 들을 때마다 눈을 감고 상상했다. 무대에 올라 열광하는 관객을 향해 기타를 연주하는 나. 사람들은 내 현란한 기타 솔로에 넋을 잃는다. 이런 환상에 빠져 몇 시간을 보내기도 했다. 열광하는 관객 앞에서 연주할 날이 정말 올 것이냐는 생각하지도 않았다. 그날이 언제가 될까만 생각했다. 내 머릿속에는 빈틈없는 계획이 있었다. 일단은 기회를 엿보다가 때가 되면 에너지와 노력을 적절히 쏟아부어 연주가로 이름을 떨치리라. 그러려면 먼저 학교를 마쳐야 했다. 그다음, 악기 살 돈을 마련해야 했다. 그다음, 연습할 시간을 충분히 확보해야 했다. 그다음, 멤버를 모집하고 첫 활동을 계획해야 했다. 그다음… 그다음은 없었다.

반평생 넘게 품어왔던 꿈은 끝내 실현되지 않았다. 그리고 오랜 시간 몸부림친 뒤에야 마침내 그 이유를 알아낼 수 있었다. 나는 사실 음악가가 되길 원한 게 아니었던 것이다.

난 결과를 사랑했다. 사람들이 환호하며 지켜보는 가운데 무대를 휘저으며 혼신을 다해 연주하는 내 모습을 말이다. 하지만 과정은 사랑하지 않았다. 그래서 실패했다. 그것도 여러 번. 젠장, 심지어 실패라는 말을 입에 올릴 수 있을 만큼 열심히 하지도 않았다. 사실 안 한 거나 마찬가지다. 매일 지루하고 고된 연주 연습을 하고, 밴드를 결성해서 합주하고, 어렵사리 공연을 잡고, 지인들을 불러모아 챙겨주고, 차도 없는데 합주할 때마다 무거운 장비를 이리저리 끌고 다니고, 끊어진 기타 줄과 터져버린 진공관 앰프를 수리하는 그 모든 과정들에, 나는 열정적으로 임하지 않았다.

내 꿈은 거대한 산과 같았다. 그리고 오랜 시간이 지난 뒤에야 깨달았다. 난 그 산을 오를 마음이 별로 없다는 것을. 그저 정상을 상상하는 걸 좋아했을 뿐이었다. 우리 사회의 관점에서 보면, 어쨌든 난 실패했고, 낙오자이거나 루저다. 난 이기지 못했고, 꿈을 포기했으며, 사회의 압력에 굴복했다.

하지만 진실은 이런 설명보다 훨씬 시시하다. 진실은, 내가 뭔가를 원한다고 생각했는데, 사실은 그렇지 않았다는 것이다. 나는 보상은 원했지만 투쟁은 원하지 않았다. 결과는 원했지만 과정은 원하지 않았다. 투쟁을 미워하고 오직 승리만을 사랑했다.

그런데 삶은 그런 식으로 흘러가지 않는다.

'무엇을 위해 투쟁할 것인가' 라는 문제가 당신이라는 존재를 규정한다. 체육관에서의 투쟁을 즐기는 사람은 철인 3종 경기를 뛰고, 탄탄한 복근을 가지고, 집채만 한 바벨도 들어 올릴 수 있다. 야근과 사내정치를 즐기는 워커홀릭은 초고속 승진을 한다. 배고픈 예술가 생활에 따라오는 스트레스와 불안을 즐기는 사람은 결국 예술로 성공할 확률이 높다.

의지나 투지를 말하는 게 아니다. '고생 끝에 낙이 온다'는 식의 훈계도 아니다. 내가 말하고자 하는 건, 삶을 구성하는 가장 단순하고 기본적인 요소다. 그러니 잘 들어보라. 투쟁이 성공을 결정한다. 그리고 문제는, 조금 더 나은, 조금 더 개선된 문제와 함께, 행복을 낳는다. 이 과정은 위를 향해 끝없이 솟아 있는 나선형 계단이다. 당신이 그 계단을 오르다 어느 지점에서 멈출 수 있다고 생각한다면, 유감스럽게도 그건 오산이다. 기쁨은 오르는 일 그 자체에 있기 때문이다.

성공을 결정하는 질문은 '나는 무엇을 즐기고 싶은가'가 아니라, '나는 어떤 고통을 견딜 수 있는가'다. 행복으로 가는 길에는 똥 덩어리와 치욕이 널려 있다.

당신은 뭔가를 선택해야 한다. 고통 없이 살 수는 없다. 꽃길만 걸을 수도 없다. 쾌락에 관한 질문에 답하기는 쉬우며, 아마 모두가 비슷한 답을 내놓을 것이다. 더 흥미로운 질문은 바로 고통에 관한 것이다. 당신은 어떤 고통을 견디고 싶은가? 이는 무척 어렵고도 중요한 질문이며, 당신을 실제로 나아가게 해 주고 사고방식과 삶을 바꿔줄 수 있는 질문이다. 이 질문이 나를 나로, 당신을 당신으로 만든다. 이것이 우리를 규정하고 구분 지으며, 궁극적으로 우리를 하나로 묶어준다.

실망 판다가 알려준 불편한 진실

내게 슈퍼히어로를 만들어 낼 재주가 있다면, 난 '실망 판다'를 만들 것이다. 실망 판다는 싸구려 안대로 마스크를 하고, 배가 꽉 끼는(대문자 T가 커다랗게 쓰인) 셔츠를 입는다. 판다의 초능력은 사람들에게 가혹한 진실을 전하는 것이다. 꼭 필요한데도 사람들이 한사코 귀를 틀어막고 마는 자기 자신에 관한 불편한 진실을 말이다.

판다는 외판원처럼 집집마다 돌아다니며 초인종을 누르고 말한다. "그래, 떼돈 벌면 기분이야 좋겠지. 근데 그런다고 애들이 널 좋아해줄까?" "가슴에 손을 얹고 물어봐. 아내를 믿어? 아닐걸." "넌 사람들한테 호감을 사려고 지나치게 애를 써. 그리고 그걸 '우정'이라 여기지." 그러고 나서 어슬렁어슬렁 옆집으로 향한다.

어떤가, 멋지지 않은가? 이런 판다가 있으면 짜증나고 슬프겠지만, 한편으로 힘이 되고, 요긴할 텐데. 어쨌든 *삶에서 가장 중요한 진실이 귀에는 가장 거슬리는 법이다.*

실망 판다는 누구도 원치 않으나 누구에게나 필요한 히어로가 아닐까. 정크푸드를 주식으로 하는 우리 정신에 채소처럼 보약이 되어줄 것이며, 기분은 해치겠지만 우리 삶을 더 낫게 해줄 것이다. 우리를 무너뜨림으로써 더 강하게 해주고, 어둠을 보여줌으로써 미래를 밝혀줄 것이다. 그의 말에 귀 기울이는 건 마치 마지막에 히어로가 죽는 영화를 보는 것과 같을 것이다. 보고 나면 기분 잡치지만, 현실감 때문에 결국엔 열광하게 되는 영화 말이다. 그러니까 이 자리에서 내가 실망 판다 마스크를 쓴 채로 또 다른 불편한 진실을 내뱉는다 해도 용서하라.

우리가 고통받는 이유는 단순하다. 고통이 생물학적으로 쓸모가 있기 때문이다. 자연은 고통을 이용해 변화를 만든다. 인간은 늘 어느 정도의 불만과 불안을 느끼며 살아가도록 진화해왔는데, 그 까닭은 다소 불만과 불안을 느끼는 생명체가 혁신과 생존에 가장 열심이기 때문이다. 인간은 본능적으로 가진 것만으로는 절대 만족하지 못하고, 오로지 가지지 못한 것으로만 만족하게 되어 있다. 이런 끊임없는 불만족이 인간이라는 종을 싸우고 분투하며, 번성하고 승리하게 했다. 그러므로 우리가 느끼는 아픔과 괴로움은 인간 진화의 '오류'가 아니라 '특징'이다.

아픔은 어떤 형태든 우리 몸이 스스로를 자극하고 행동하게 하는 가장 효과적인 수단이다. 당신이 발가락을 찧었다고 가정해 보자. 아마 그 순간 육두문자를 내뱉으며 프란치스코 교황이 눈물을 글썽일 만큼 크게 울부짖을 것이다. 어쩌면 불쌍한 무생물을 탓할지도 모르겠다. "빌어먹을 탁자 같으니라고!" 어쩌면 가구 배치에 불만을 제기하기에 이를 수도 있다. "어떤 돌대가리가 탁자를 거기 둔 거야? 장난해?"

다시 본론으로 돌아와서, 발가락을 찧어서 생긴 끔찍한 아픔, 우리 모두가 너무나 싫어하는 그런 고통이 존재하는 데는 중요한 이유가 있다. 육체적 고통은 우리 신경 체계의 산물로, 우리는 이 피드백 메커니즘을 통해 저마다 육체의 한계를 재단한다. 이를테면 어디는 가도 되고 어디는 안 되는지, 무엇은 만져도 되고 무엇은 안 되는지를 규정한다. 우리가 한계치를 벗어나는 행동을 하면, 우리의 신경 체계는 기다렸다는 듯이 벌을 내려서 우리가 정신 차리고 다시는 그 행동을 하지 않게 한다.

우리가 질색하는 만큼이나 고통은 쓸모 있다. 고통은 우리가 어리고 부주의한 시기에 무엇에 주의를 기울여야 하는지를 가르쳐준다. 우리에게 이로운 것과 해로운 것을 구분해주며, 자신의 한계를 깨닫고 거기에서 벗어나지 않게 해준다. 게다가 뜨거운 난로 근처를 얼쩡대거나 쇠막대기를 전기 콘센트에 꽂지 않게도 해준다. 따라서 고통을 피하고 쾌락을 좇는 게 언제나 이롭기만 한 것은 아니다. 때로는 고통이 생사를 판가름할 만큼 우리의 안녕에 중요할 수도 있기 때문이다.

물론 육체적인 고통만 있는 건 아니다. 『스타워즈: 에피소드 1』을 끝까지 봐야 했던 사람이라면 누구나 알겠지만, 인간은 극심한 정신적 고통을 느낄 수도 있다. 연구에 따르면, 사실 인간의 두뇌는 육체적 고통과 정신적 고통 간의 차이를 잘 인식하지 못한다고 한다. 첫 여자친구가 바람이 나서 떠나갔을 때, 난 심장 한가운데로 얼음 송곳이 천천히 들어오는 느낌을 받았다. 내가 굳이 이 얘기를 하는 까닭은 차라리 얼음 송곳에 심장을 찔리는 편이 나았을 정도로 당시에 무척 아팠기 때문이다.

육체적 고통과 마찬가지로, 정신적 고통도 무언가가 균형과 한계를 벗어났음을 나타낸다. 또한 이 역시 항상 나쁘거나 불쾌한 것만은 아니다. 경우에 따라서는 정서적 또는 정신적 고통이 유익하거나 필요할 수도 있다. 가령, 탁자에 발가락을 찧고 나면 다음 번에는 부딪히지 않게 조심하는 것처럼, 거절이나 실패로 인한 정서적 고통을 겪고 나면 어떻게 해야 같은 실수를 되풀이하지 않을 수 있는지 알게 되는 것이다.

피할 수 없는 인생의 고통을 애써 밀어내려는, 온실 속 화초와 같은 사회는 위험하다. 그런 사회의 사람들은 유익한 고통을 통해 이익을 얻을 기회를 잃고, 그 결과로 현실감마저 잃는다. 영원한 행복과 끊임없는 연민으로 가득 찬, 문제라곤 전혀 없는 삶을 기대하며 몽상에 빠져 있는 이가 아직도 있는가? 꿈 깨라. 지구에서 '문제'가 사라질 일은 없다. 장난이 아니다. 문제에는 끝이 없다. 좀 전에 실망 판다가 들렀었는데, 같이 마르가리타를 마시는 동안 그가 이 모든 것을 알려줬다. 그가 말했다. "문제는 절대 사라지지 않아. 다만 나아질 뿐. 워런 버핏도 돈 문제, 동네 구멍가게 앞에서 술에 취해 앉아 있는 부랑자도 돈이 문제지. 버핏의 돈 문제가 부랑자보다 사정이 좀 더 나을 뿐이지. 사는 건 다 이런 식이야.

"마크, 삶이란 본래 문제의 연속이야." 판다가 술을 홀짝이고 작은 분홍 우산을 매만지며 덧붙였다. "한 문제를 해결하면 곧 다른 문제가 잇따르지. 문제없는 삶을 꿈꾸지 마. 그런 건 없어. 그 대신 좋은 문제로 가득한 삶을 꿈꾸도록 해." 그 말과 함께 잔을 내려놓은 뒤, 그는 솜브레로를 고쳐 쓰고 석양을 향해 천천히 발걸음을 옮겼다.

부유함을 버리고 고통받는 삶을 택한 왕자

2,500여 년 전, 현대의 네팔에 속하는 히말라야 산기슭에 커다란 궁전이 있었다. 이곳의 왕은 곧 태어날 아들을 맞이할 준비를 하고 있었다. 왕은 아들을 위해 유별나게 원대한 계획을 세웠다. 아이의 삶을 완벽하게 만들기로 한 것이다. 아이는 고통을 모른 채 자랄

것이며, 욕구와 욕망이 일렁일 때마다 그에 대한 설명이 주어질 터였다.

왕은 높은 성벽으로 궁전을 에워싸 왕자가 바깥세상과 담을 쌓게 했다. 아이는 온갖 음식과 선물, 비위를 맞춰주는 하인에 둘러싸여 응석받이로 자랐다. 그리고 계획대로 아이는 인간사의 잔인함을 모르는 사람이 됐다. 왕자는 유년기를 그렇게 보냈다. 하지만 그렇게 풍요로움을 한없이 누렸음에도, 왕자는 방황하는 청년이 되었다. 곧 모든 경험이 공허하고 가치 없게 느껴졌다. 아버지가 무엇을 주든 충분치 않았으며 아무 의미도 없는 듯했다.

어느 깊은 밤, 왕자는 궁전을 몰래 빠져나가 성벽 너머 세상을 보기로 했다. 하인에게 말을 몰게 해 성 밖의 마을을 둘러보는 동안, 왕자는 등골이 오싹해졌다. 난생 처음 인간의 고통을 목격했기 때문이다. 병자와 노인, 노숙자, 고통에 신음하는 자, 심지어 죽어가는 자를 봤다.

궁전으로 돌아온 왕자는 실존적 위기에 직면했다. 자신이 본 광경을 어떻게 받아들여야 할지 몰랐기에, 모든 것이 못마땅하게 느껴져 불평을 마구 늘어놓았다. 그리고 젊은이들이 흔히 그러하듯, 이게 다 아버지 때문이라며 아버지 탓을 했다. 왕자는 생각했다. 나를 이렇게 불행하게 만든 것, 내 삶을 이렇게 무의미하게 만든 것은 부유함이라고. 결국 왕자는 도망치기로 결심했다.

그런데 그 아버지에 그 아들이라 했던가. 왕자 또한 원대한 계획을 세웠다. 그냥 도망치는 게 아니라, 특권과 가족과 소유물 일체를 버리고 동물처럼 흙바닥에서 뒹굴며 거리에서 살아가기로 한 것이다. 그곳에서 왕자는 자신을 굶기고 고문하며 낯선 이에게 음식 찌꺼기를 구걸하다 생을 마감하게 될 터였다.

다음 날 밤 왕자는 다시 궁전을 빠져나왔다. 이번엔 돌아가지 않을 작정을 하고서. 몇 년 동안 왕자는 부랑자로 살았다. 사회에서 버려지고 잊힌 '잉여 인간'으로, 사회 계급의 밑바닥에 말라붙은 개똥 같은 존재로. 그리고 계획대로 왕자는 엄청나게 고통받았다. 질병, 굶주림, 고뇌, 외로움에 시달렸고 타락했다. 말 그대로 죽기 일보 직전에 처한 적도 있었고, 나무 열매 하나로 삼시세끼를 때우기 일쑤였다.

그렇게 몇 년이 지나갔다. 그리고 또 몇 년이. 그리고… 아무 일도 일어나지 않았다. 이윽고 왕자는 고통받는 삶이 그렇게 좋은 것만은 아니라는 생각이 들었다. 원했던 통찰력을 얻지 못했으며, 삶의 신비와 궁극적 목적도 밝힐 수 없었다.

마침내 왕자는 남들은 얼추 다 아는 진리를 깨닫기에 이르렀다. 고통은 천하에 몹쓸 것이라는 사실 말이다. 게다가 딱히 의미가 있는 것도 아니다. 부와 마찬가지로, 고통도 목적이 없다면 아무런 가치가 없다. 이윽고 왕자는 자신의 원대한 계획이 아버지의 것처럼 형편없는 생각이었다는 결론에 도달했다. 그렇다면 이제 뭔가 다른 것을 해야 했다.

혼란에 빠진 왕자는 몸을 씻고 강가에 있는 큰 나무에 자리를 잡았다. 왕자는 그곳에 앉아 또 다른 원대한 생각이 떠오를 때까지 일어나지 않으리라고 결심했다. 전설에 따르면, 왕자는 나무 아래에서 49일을 앉아 있었다. 49일을 한자리에 앉아 있는 게 생물학적으로 가능한지는 제쳐두고, 그동안 왕자가 심오한 깨달음을 여럿 얻었다는 점만 이야기하자.

그가 얻은 깨달음 가운데 하나는 이것이다. 삶 자체가 일종의 고통이다. 부자는 부유해서 고통받고 가난한 자는 가난해서 고통받는다. 가족이 없는 자는 가족이 없어서 고통받는다. 가족이 있는 자는 가족으로 인해 고통받는다. 세속적 쾌락을 좇는 자는 세속적 쾌락 때문에 고통받는다. 금욕하는 자는 금욕 때문에 고통받는다. 모든 고통이 동등하다는 게 아니다. 분명히 어떤 고통은 다른 고통보다 더 아프다. **하지만 인간인 이상 누구도 고통을 피할 수는 없다.**

몇 년 뒤, 왕자는 자신만의 철학을 세워 세상에 설파했는데, 그의 첫째 가르침은 이렇다. 고통과 상실은 피할 수 없으니 그에 저항하려는 마음을 버려라. 사람들은 훗날 그를 부처라 불렀다. 노파심에 덧붙이자면, 그는 꽤 거물이었다.

우리의 수많은 가정 아래에 깔려 있는 전제가 있다. 그것은 행복이 알고리즘적 현상이라는 믿음이다. 다시 말해, 로스쿨에 들어가거나 복잡한 레고 세트를 만들 때처럼, 주어진 규칙과 절차에 따라 문제를 푸는 방식으로 행복을 얻을 수 있다고 생각한다는 뜻이다. X를 달성하면, 행복할 수 있다. Y처럼 보이면, 행복할 수 있다. Z와 함께하면, 행복할 수 있다.

그런데 사실은 이 전제가 문제다. 행복은 답이 있는 방정식이 아니다. 인간의 본성은 불만과 불안을 포함하며, 곧 알게 되겠지만 이것들은 지속적인 행복을 달성하는 데 필수 요소다. 부처는 이 점을 종교적, 철학적 관점에서 주장한 것이다.

문제는 계속된다, 바뀌거나 나아질 뿐

살다 보면 문제가 끊이지 않는다. 건강해지기 위해 피트니스클럽 회원권을 끊으면, 곧 새로운 문제가 생긴다. 체육관에 제 시간에 가기 위해 일찍 일어나야 하고, 러닝머신에 올라 30분 동안 마약중독자처럼 땀을 뻘뻘 흘려야 하며, 온 사무실에 땀 냄새를 풍기지 않으려면 샤워도 하고 옷도 갈아입어야 한다. 애인과 많은 시간을 보내기 위해 수요일 밤을 데이트의 날로 정하면 또 새로운 문제가 생긴다. 수요일마다 오늘은 무엇을 해야 둘 다 만족할지 궁리하고, 근사한 저녁 식사를 위해 돈을 마련해야 하며, 눈을 씻고 찾아봐도 더는 보이지 않는 둘 사이의 열정도 찾아야 하고, 거품이 부글거리는 욕조에서 섹스하자는 계획도 어떻게든 실행에 옮겨야 한다.

문제는 끝없이 계속된다. 단지 바뀌거나 나아질 따름이다.

행복은 문제를 해결하는 데서 나온다. 여기서 핵심은 '해결'이다. 문제를 피하거나 아무런 문제가 없는 척하면 불행해진다. 해결 못 할 문제가 있다고 생각해도 역시 불행해진다. 중요한 건 처음부터 문제 밖에 자리하는 게 아니라, 문제를 해결하는 거다.

행복하려면 우리는 뭔가를 해결해야 한다. 그러므로 행복은 일종의 행동이며 활동이다. 행복은 가만히 있으면 주어지는 게 아니다. 허핑턴포스트의 상위 10위 기사를 읽고서 또는 무슨 도사나 스승의 말을 듣고서 문득 깨닫게 되는 것도 아니다. 마침내 집에 방 한 칸을 추가할 돈을 모았다고 해서 행복이 홀연히 나타나지는 않는다. 행복이 장소나 생각이나 직업 속에 숨어 있다가 당신을 맞이

하는 일은 없다. 그 점에서는 책도 마찬가지다.

행복은 끊임없는 제조 과정에 놓여 있는 미완성품이다. 왜냐면 문제 풀기가 끊임없는 제조 과정에 놓여 있는 미완성품이기 때문이다. 오늘의 문제에 대한 해법은 내일의 문제를 풀기 위한 토대가 될 것이다. 자신이 좋아할 문제, 자신이 즐겨 풀 문제를 찾아야 한다. 오직 그럴 때만 진정한 행복을 얻을 수 있다.

문제가 간단할 때도 있다. 맛있는 음식을 먹기, 안 가본 곳을 여행하기, 새로 산 비디오게임에서 이기기 등. 반면에 문제가 추상적이고 복잡할 때도 있다. 어머니와의 관계를 개선하기, 마음에 들 만한 직업을 찾기, 우정을 돈독히 하기 등.

문제가 무엇이든 개념은 같다. 문제를 해결하면, 행복을 얻는다. 그런데 불행히도, 많은 이들에게 삶은 그렇게 간단하지 않다. 사람들이 적어도 다음 두 방식 중 하나로 삶을 엉망으로 만들기 때문이다.

1 부정하기 어떤 사람들은 일단 자신에게 있는 문제 자체를 부정한다. 현실을 부정하니 착각에 빠져 끊임없이 현실로부터 멀어지지 않을 도리가 없다. 문제를 부정하면 단기적으로는 기분이 좋겠지만, 결국엔 불안에 떨고 신경과민에 시달리며 감정을 억누르는 삶을 살게 될 뿐이다.

2 피해의식 어떤 사람들은 자신의 문제를 해결하기 위해 자기가 할 수 있는 일이 아무것도 없다고 믿는다. 사실은 할 수 있는

일이 분명히 있는데도 말이다. 피해의식에 빠진 자는 자신의 문제를 다른 사람이나 환경 탓으로 돌린다. 남 탓을 하면 단기적으로는 기분이 좋겠지만, 결국엔 분노와 무력감과 절망으로 가득한 삶을 살게 될 뿐이다.

사람들이 자신의 문제를 부정하고 다른 사람을 비난하는 이유는 단순하다. 부정하거나 비난하는 일은 쉽고 즐겁지만, 문제를 해결하기는 힘들고 대체로 불쾌하기 때문이다. 비난과 부정이라는 방식을 선택하면 즉각적인 쾌감을 얻는다. 이것은 일시적으로 문제를 회피하는 길이며, 이런 회피의 길을 택하면 곧바로 짜릿한 쾌감을 얻을 수 있다.

쾌감은 다양한 형태로 나타난다. 이를테면 알코올 같은 물질로 인한 취기, 타인을 비난할 때 생기는 정의감, 위험한 일에 도전할 때 느끼는 전율 등이 있다. 그러나 어느 것이건 간에 쾌감은 인생의 지표로 삼기에는 얄팍하고 비생산적이다. 자기계발의 기본 수법이 문제를 제대로 골라 해결하는 대신, 사람들에게 쾌감을 퍼뜨리는 것이다. 수많은 자기계발 전도사가 새로운 형태의 부정을 가르치고, 단기적으로 기분이 좋아지게 하는 운동으로 바람을 잡지만, 정작 근본적인 문제에는 고개를 돌린다. 명심하라. 실제로 행복한 사람은 절대 거울 앞에 서서 '나는 행복하다'고 주문을 걸지 않는다.

쾌감은 중독을 낳기도 한다. 근본적인 문제를 눈앞에 둔 상황에서 기분을 나아지게 하기 위해 쾌감에 의존하면 할수록 더 간절히 쾌감을 찾게 될 것이다. 이처럼 어떤 일을 하려는 동기가 그저 기분을 나아지게 하는 것이라면, 우리는 거의 모든 것에 중독될 수 있다. 우리 모두가 문제로 인한 고통을 가라앉힐 나름의 방법을 가지고 있고, 적절히 사용하기만 하면 나쁠 게 전혀 없다. 하지만 문제를 피하고 고통을 가라앉히는 기간이 길어지면 길어질수록, 마침내 문제를 직면했을 때 받게 될 고통은 더 커질 것이다.

삼키기 싫은 알약을 삼켜야 할 때

감정이 진화한 목적은 딱 하나, 바로 우리가 조금이라도 더 잘 살고 더 잘 번식하도록 돕는 것이다. 그게 전부다. 감정은 일종의 '피드백 메커니즘'으로 우리에게 어떤 것이 적합하고 어떤 것이 부적합한지를 알려준다. 그 이상도 그 이하도 아니다.

뜨거운 난로에 덴 고통은 우리가 다시는 그걸 만지지 않게 한다. 외톨이가 된 슬픔은 외로움을 느끼게 만든 일을 다시는 하지 않게 한다. 감정은 그저 우리를 이로운 방향으로 몰아가기 위해 설계된 생물학적 신호다.

잠깐, 당신이 겪고 있는 중년의 위기나 당신이 어릴 때 술 취한 아빠한테 자전거를 빼앗겼던 충격을 아직도 극복하지 못했다는 사실을 가볍게 여기는 게 아니다. 내 말은, 당신 기분이 더럽다면 그건 당신이 어떤 문제를 내버려두거나 해결하지 않았다는 사실을 당신 두뇌가 말해주고 있기 때문이라는 것이다. 다른 말로 하면, 부정적 감정은 행동하라는 요구다. 그걸 느끼면 당신은 뭔가를 해야 한다. 반면에 긍정적 감정은 적절한 행동을 했을 때 주어지는 보상이다. 긍정적 감정을 느끼면 삶이 단순해 보이고 그저 삶을 즐기면 될 것 같은 생각이 든다. 하지만 세상일이 다 그러하듯, 바로 그 순간에 긍정적 감정이 사라지고 만다. 필연적으로 더 많은 문제가 모습을 드러내기 때문이다.

감정은 우리 삶의 방정식의 일부일 뿐, 전부는 아니다. 좋게 느껴지는 것이라고 해서 다 좋은 건 아니고, 나쁘게 느껴지는 것이라고 해서 다 나쁜 것만도 아니기 때문이다. 감정은 단지 길잡이일 뿐이다. 다시 말해, 신경생물학이 우리에게 전하는 제안일 뿐 명령은 아니다. 그러므로 감정을 전적으로 신뢰해서는 안 된다. 사실 난 감정을 의심하는 습관을 들여야 한다고 생각한다.

많은 사람이 다양한 개인적, 사회적, 또는 문화적 이유 때문에 감정을 억누르는 훈련을 받는다. 특히 부정적 감정을. 그러나 슬프게도, 부정적 감정을 받아들이지 않으면, 문제 해결에 도움이 되는 수많은 피드백 메커니즘을 내치게 된다. 그 결과, 이런 이유로 억눌린 사람들 중 상당수가 문제와 씨름하느라 평생을 몸부림치며 살아간다. 그런데 문제를 해결 못 하면 행복할 수 없다. 명심하라. 고통은 분명 도움이 된다.

그런데 반대로, 자신과 감정을 지나치게 동일시하는 사람들이 있다. 이들은 그저 자신의 느낌만으로 모든 것을 정당화한다. "이런, 내가 당신 차 앞 유리를 깼군. 근데 너무 화가 나서 나도 어쩔 수 없었어." "난 학교를 그만두고 알래스카로 이주했어. 그냥 그러면 좋겠다는 느낌이 들었거든." 이성의 도움 없이 감정과 직관에 근거해 내린 결정은 거의 대부분 형편없다. 삶 전체를 감정에 따라 살아가는 게 누굴까? 세 살짜리 꼬맹이와 개뿐이다. 세 살 먹은 아이와 개가 또 뭘 하는지 아나? 카펫에 똥을 싼다.

감정에 과도하게 집착하는 행위가 도움이 안 되는 이유는 간단하다. 감정은 늘 변하기 때문이다. 오늘 나를 행복하게 해주는 것이 내일이면 아무것도 아니다. 생물학적으로 우리는 항상 지금보다 더한 것을 원하게 돼 있기 때문이다. 행복에 집착하는 자는 '또 다른 것', 이를테면 새 집, 새로운 관계, 자식의 성적, 또 한 번의 연봉 인상 등을 끝없이 좇게 마련이다.

그러다 보면 아무리 땀 흘려 노력해봤자, 결국 섬뜩할 정도로 처음과 비슷한 느낌을 받게 된다. 무언가 부족하다는 느낌 말이다. 심리학자들은 이 개념을 '쾌락의 쳇바퀴'라고도 부르는데, 사람들이 생활환경을 바꾸기 위해 늘 열심히 일하면서도 실제로는 전혀 달라졌다고 느끼지 못하는 현상을 일컫는다.

이것이 문제가 되풀이되고, 우리가 문제를 피할 수 없는 이유다. 당신이 결혼하는 사람이 당신과 싸울 사람이다. 당신이 구입하는 집이 당신이 수리할 집이다. 당신이 선택하는 꿈의 직업이 당신에게 스트레스를 줄 직업이다. 어떤 일이건 희생이 따르는 법이다. 다시 말해, 우리를 기분 좋게 해주는 것은 한편으로 우리의 기분을 해치기 마련이다. 얻음은 곧 잃음이기도 하다. 긍정적 경험이 부정적 경험을 규정할 것이다.

우리가 삼키기를 꺼리는 알약은 다음과 같다. 우리는 이 세상에 궁극적인 행복이라는 것이 존재하며 우리가 그것을 얻을 수 있다고 믿고 싶어 한다. 우리가 느끼는 모든 고통을 영구적으로 완화될 수 있다고, 성취감과 만족감으로 가득한 삶이 영원히 계속될 수 있다고 믿고 싶어 한다.

그러나 이 모든 것은 현실과 거리가 멀다.

3

왜 너만 특별하다고 생각해?

우리는 경이로움의 홍수 속에 살고 있다.
최고 중의 최고, 최악 중의 최악,
제일 재미있는 농담,
가장 충격적인 뉴스들 속에서.

'모두가 위대한 사람이 될 수 있다'라는 헛소리

오늘날 우리 모두가 굳게 믿고 있는 명제가 있다. 바로 우리가 아주 특별한 일을 하게 될 거라는 믿음이다. 유명인이, 재계의 거물이, 정치인이 그렇게 이야기한다. 심지어 오프라 윈프리조차도 그렇게 말한다(그러니까 틀림없이 사실이다). 우리 하나하나가 모두 특별한 사람이며, 우리 모두가 위대한 사람이 될 자격이 있다.

그런데 이 주장에 모순이 있다는 사실을 눈치챘는가? 따지고 보면, 모두가 특별하다는 말은 아무도 특별하지 않다는 말이나 마찬가지다. 사람들은 자신에게 실제로 어떤 자격이 있고 없는지를 따져보는 대신, 저 주장을 덥석 문 뒤 더 많은 것을 바란다.

지금은 '평균'이 성공과 실패를 가늠하는 잣대 역할을 한다. 통계의 한가운데에 있는 상태가 우리 인생 최악의 상황이다. '특별함'이 성공 기준인 사회에서는 중간보다는 차라리 밑바닥에 있는 게 낫다. 밑바닥에 있으면 적어도 특별 취급은 받으니까. 그래서 많은 사람이 이 전략을 택한다. 세상에서 가장 비참하고, 가장 억압받고, 가장 핍박받는 사람이 바로 나라고 모든 이에게 호소하는 것이다. 이처럼 많은 이들이 평범함을 받아들이기를 두려워한다. 그걸 받아들이면 뭔가를 성취하지도 앞으로 나아가지도 못해서 별 볼 일 없이 살게 될 거라고 믿기 때문이다.

하지만 이런 사고방식은 위험하다. 돋보이고 대단한 삶만이 가치 있다는 전제를 받아들이는 것은, 자신을 비롯한 대부분의 인간이 가치 없는 쓰레기라는 결론 또한 받아들이는 것이나 마찬가지다. 이런 정신 상태는 자신은 물론 타인에게도 위험을 초래한다.

간혹 어떤 사람이 뭔가에 특별한 능력을 발휘하는 건 자신이 특출하다고 믿어서가 아니다. 오히려 이런 능력은 부족한 점을 보완하는 데 집착할 때 나온다. 또 이러한 '개선에 대한 집착'은 자신이 전혀 대단하지 않다는 올바른 믿음에서 나온다. 즉, 한 분야에서 위대한 성취를 이룬 사람이 '나는 아직 대단한 사람이 아니며 앞으로 더 나아질 수 있다'고 생각하는 것 자체가 성공의 원동력이 된다는 것이다.

'우리 모두가 특별하며, 위대한 사람이 될 수 있다'는 식의 말은 사실 허튼소리에 지나지 않는다. 맛은 좋고 술술 넘어가지만, 실제로는 영양가 하나 없어서 먹어봐야 감정에 헛바람만 들게 하는, 정크푸드일 뿐이다.

육체 건강에는 역시 채소다. 그렇다면 감정 건강을 위한 채소는 무엇일까? 바로 무미건조하고 일상적인 삶의 진리를 받아들이는 것이다. 이를테면 "이 넓은 세상을 고려하면, 내 행동은 사실 별로 중요하지 않아" 혹은 "내 인생 대부분이 지루하고 평범하겠지만, 그래도 괜찮아"와 같은 자세 말이다. 물론 처음에는 이런 채식이 도무지 입에 맞지 않아 고개를 돌리게 될 것이다.

하지만 일단 삼키면, 몸에 힘과 활력이 넘칠 것이다. 세상을 놀라게 하는 차세대 거물이 되어야 한다는 압박감이 마침내 사라질 것이다. 매일같이 능력을 증명하려는 욕구 그리고 무력감으로 인한 스트레스와 불안감이 가실 것이다. 자신이 평범한 존재임을 이해하고 받아들이면, 어떤 평가나 거창한 기대도 하지 않고, 자유롭게 자신이 진정으로 바라는 것을 이루게 될 것이다. 또한 삶의 근본이 되는 경험을 깊이 음미하게 될 것이다. 다시 말해, 소소한 우정을 나눈다거나, 무언가를 창작한다거나, 어려움에 처한 사람을 돕는다거나, 좋은 책을 읽고 좋아하는 사람과 함께 웃는 일 등에서 즐거움을 찾게 될 것이다.

따분한 소리 같은가? 그건 이런 일들이 일상적이기 때문이다. 하지만 일상이 괜히 일상인가. 중요하니까 일상이다.

스티브 잡스가 될 거라는 망상에 빠진 벤처기업가

한 남자에 대한 이야기를 할 텐데, 이름은 '지미'라고 해두자. 지미는 항상 다양한 벤처 사업을 한다. 어쩌다 당신이 그에게 요새 뭘 하냐고 묻는다면, 지미는 자신이 컨설팅 하고 있는 회사의 이름을 떠벌리거나, 또는 대박을 낼 의료 애플리케이션에 대한 설명을 시시콜콜 늘어놓으며 자금을 댈 엔젤 투자자를 찾는 중이라고 하거나, 혹은 자선 행사에서 자신이 기조연설을 할 예정이라고 말하거나, 아니면 자기가 기존 것보다 더 효율적인 주유기를 고안했는데 그걸로 몇십 억 달러는 벌어들일 거라고 대답할 것이다.

이 남자는 잠시도 쉬는 법이 없이 늘 분주하다. 틈만 나면 자신이 하는 일이 어떻게 세상을 돌아가게 하는지, 자신의 최신 아이디어가 얼마나 훌륭한지를 설파한다. 게다가 자기가 무슨 신문기자라도 되는 양 늘 유명인의 이름을 들먹인다. 지미는 늘 긍정적이다. 자신을 채찍질하고 언제나 수완을 발휘하는 그는 진정한 야심가다. 야심가라는 단어가 뭘 의미하건 간에.

함정은 지미가 한편으로 완전한 게으름뱅이라는 사실이다. 지미는 항상 말뿐이다. 술에 취해 대부분의 시간을 보내며, 사업 아이디어뿐만 아니라 술집과 근사한 식당에 돈을 펑펑 써버린다. 지미는 프로 거머리다. 미래 기술이 어쩌고저쩌고 떠들어 대며 가족까지 구워삶아서, 그들이 힘들게 번 돈을 빨아먹는다. 물론 노력하는 시늉은 한다. 전화기를 집어 들고 거물들에게 전화를 걸어 유명인의 이름을 팔아서 영업을 하지만, 실제로는 아무 일도 일어나지 않는다. 그의 '벤처'는 아무런 꽃을 피우지 않았다.

그런데도 그는 이 짓을 수년 동안 계속했다. 여자친구들에게 빌붙고 점점 더 먼 친척에게 손을 벌리며 20대 후반까지 그렇게 살았다. 더 황당한 건 지미가 이런 상황에 만족을 느꼈다는 것이다. 그의 자신감은 망상에 가까웠다. 누군가 자신을 비웃거나 통화 중에 일방적으로 전화를 끊으면, 지미는 속으로 그들이 일생일대의 기회를 잃었다고 생각했다. 누군가 자신의 엉터리 사업 아이디어를 비판하면, 자신의 천재성을 이해하기에는 그들이 너무 무지하고 미숙하다고 여겼다. 누군가 자신의 게으른 생활 방식을 손가락질하면, 그들이 자신을 시기한다고 믿었다. 지미에게 이들은 자신의 성공을 부러워하는 '증오꾼'이었다.

물론 그도 돈을 벌긴 했다. 대체로 미심쩍은 수단을 사용한다는 게 문제였지만. 다른 사람의 사업 아이디어를 자기 것이라고 하며 팔거나, 속임수를 써서 대출을 받았다. 심지어 다른 이의 신생 벤처기업 자본을 자신에게 투자하도록 유도하기도 했다. 가끔은 사람들을 부추겨 돈을 받고 강연할 기회를 얻기도 했다. (무슨 얘기를 했을지는 짐작도 안 간다.)

가장 웃기는 점은 지미가 자신의 헛소리를 진짜로 믿었다는 것이다. 지미의 망상은 화를 불러일으키는 것은 모조리 튕겨내는 기막힌 방탄 장갑이었다.

40~50년 전에 '자존감 높이기'가 심리학에서 맹위를 떨쳤다. 당시의 연구에 따르면, 자신을 높이 평가하는 사람이 일반적으로 일을 더 잘하고, 문제를 더 적게 만들었다. 따라서 당시의 많은 연구자와 정책 입안자가 사람들의 자존감을 높이면 눈에 띄는 사회적 이익을 얻을 것으로 믿었다. 이를테면 범죄가 줄어들고, 학업 성적이 올라가며, 취업이 잘되고, 재정 적자가 감소하리라고 예상했다. 그 결과, 부모들이 자존감에 대해 배우기 시작했고 심리 치료사와 정치인, 교사가 가세하면서 자존감 높이기는 교육정책의 일환이 되었다.

예를 들어 이런 것들이다. 학교에서는 학업 성취도가 낮은 아이들을 배려하기 위해 학점 부풀리기를 시행했다. 갖가지 평범하고 뻔한 활동에 대한 참가상과 엉터리 트로피를 만들었다. 과제랍시고 아이들에게 자신이 특별한 이유나 자기한테서 가장 마음에 드는 점 5가지를 적어 오라고 했다. 또 교회에서는 목사가 신도에게 이렇게 설교했다. '신의 눈에는 우리 한 사람 한 사람이 모두 특별하며, 모두가 평범함을 넘어 탁월함을 얻을 운명이다.' 사업과 동기부여 세미나에서도 이런 역설적인 주문을 구호로 삼았다. '우리 모두가 특별하며 엄청난 성공을 거둘 수 있다!'

하지만 다음 세대에 이르러 우리 모두가 특별한 건 아니라는 생각이 상식이 됐다. 그동안 드러난 바에 의하면, 그럴듯한 이유 없이 자신에게 만족감을 느끼는 건 사실 아무 소용이 없다. 다부지고 출세한 성인이 되는 데는 역경과 실패가 실제로 도움이 되며 심지어 '필수적'이다. 사람들이 자신을 특별하게 여기고 자기에게 만족감을 느끼게 해봐야, 빌 게이츠와 마틴 루터 킹이 쏟아져 나오지는 않는다. 지미 같은 인간들이 쏟아져 나올 뿐이다.

지미는 망상에 빠진 벤처기업 창업자였다. 날마다 대마초를 피워댔고, 쓸 만한 재주라고는 스스로를 치켜세우고 그걸 그대로 믿어버리는 능력뿐이었다. 지미는 동업자에게 미숙하다며 언성을 높인 뒤, 러시아 모델에게 잘 보이기 위해 미슐랭 3스타 레스토랑에 가서 법인카드를 한도까지 쓰는 그런 남자였다. 더구나 고모, 삼촌 가리지 않고 돈을 빌린 탓에 더는 손을 벌릴 곳도 없었다. 그렇다. 지미는 자신감 있고 자존감 넘치는 사람이었지만, 자기가 얼마나 잘났는지 떠벌리는 데 열중하느라, 실제로 뭔가를 해야 한다는 사실은 잊어버렸다.

자존감 캠페인의 문제는 사람들이 '자신을 얼마나 긍정적으로 느끼느냐'로 자존감을 측정했다는 데 있다. 개인의 자아 존중감을 제대로 측정하려면 사람들이 자신의 부정적인 면을 어떻게 느끼느냐를 봐야 한다. 지미 같은 사람은 삶이 무너져내리는 순간에도 자기 삶의 99.9%가 훌륭하다고 느끼는데, 어떻게 긍정적 느낌이 성공적이고 행복한 삶을 평가하는 기준이 될 수 있겠는가?

지미는 특권이 있다고 믿는다. 말하자면 허세를 부릴 특권이라고 할까. 실제로는 자격이 없음에도 자기가 좋은 것을 누릴 자격이 있다고 느낀다. 실제로 일하지 않아도 스스로 부자가 될 수 있다고 믿는다. 누군가를 실제로 돕지 않아도 인기와 인맥을 얻어야 한다고 믿는다. 아무것도 희생하지 않아도 멋진 삶을 살게 될 거라고 믿는다.

지미 같은 사람은 자기 만족감에 과도하게 집착하다가 스스로를 망상 속에 빠뜨리고 만다. 사실은 별 볼 일 없으면서도 자기가 뭔가 대단할 일을 하고 있다고 믿어버리는 것이다. 가령, 이들은 사람들의 비웃음을 살 때도 자신이 발표를 잘하고 있다고 믿는다. 벤처사업에서 한 번도 성공한 적이 없어도 자기를 성공한 벤처기업가라고 믿는다. 스스로를 인생 상담사를 자처하며 사람들을 도울 테니 돈을 내놓으라고 한다. 살면서 그럴듯한 일이라고는 아무것도 한 게 없는 애송이가 말이다.

허세에 빠진 자들은 망상 수준의 자신감을 발산한다. 이런 자신감은 적어도 잠깐은 사람들을 유혹한다. 어떤 경우에는 이들의 망상에 가까운 자신감이 주변 사람에게 전염되어 다른 사람의 자신감까지 상승시키기도 한다. 지미가 야바위꾼이긴 하지만, 그와 어울리는 일이 때로 즐거웠다는 점은 나도 인정한다. 그와 함께하면 무적이 된 느낌이 들기 때문이다.

하지만 여기에 문제가 있는데, 허세꾼들은 늘 자신한테 만족감을 느껴야만 한다. 주변 사람에게 폐를 끼치면서까지 말이다. 그리고 대부분의 시간을 자신에 관해 생각하는 데 바치게 된다. 아무튼, 자신을 설득해 '내 똥은 냄새가 안 난다'고 믿으려면 엄청난 에너지와 노력이 든다. 특히 실제로 화장실 안에서 살아갈 때는 말이다.

일단 이런 사고방식이 확립되어 자화자찬하는 버릇이 들고 나면, 이것을 깨기란 지극히 힘들다. 논리적인 설득은 통하지 않는다. 이들은 논리적 설득을 그저 자신의 우월함에 대한 흔해 빠진 '위협'일 뿐이라고 생각한다. 그것도 자신의 똑똑함, 재능, 외모, 성공을 참지 못하는 그저 그런 자들의 위협이라고 말이다.

허세꾼들은 일종의 자아도취 거품으로 자신을 감싸며, 자신의 허세를 강화하기 위해서라면 무엇이든 왜곡한다. 이들은 일상에서 어떤 사건을 마주치건 그걸 자신의 위대함에 대한 긍정 아니면 위협으로 양분한다. 좋은 일이 생기면, 자기가 뭔가 놀라운 일을 해냈기 때문이다. 나쁜 일이 생기면, 누군가 자기를 시기해서 콧대를 꺾어 놓으려 하기 때문이다.

허세에 빠진 자는 무엇에도 휘둘리지 않는다. 이들은 망상 속에서 우월감을 충족하는 데 몰두한다. 이들은 허울뿐인 정신을 지키기 위해서라면 수단과 방법을 가리지 않는다. 그래서 때로는 주변 사람의 몸과 마음을 해치는 일도 마다치 않는다. 이것을 나는 '허세특권'이라고 부른다. 허세특권이란 한마디로, 자신에게 특별한 자격이 있다는 믿음에서 하는 모든 행동들을 말한다. 그것이 긍정적이든 부정적이든 간에 말이다. 하지만 이 전략은 실패할 수밖에 없다. 이것은 쾌락을 더해줄 뿐, 행복을 낳지는 못한다.

자아 존중감을 제대로 측정하려면 긍정적 경험을 어떻게 느끼는지가 아니라, 부정적 경험을 어떻게 느끼는지를 봐야 한다. 지미 같은 사람은 뭔가를 시도할 때마다 자신이 성공했다고 상상함으로써 문제를 외면한다. 자신에게 얼마나 만족하든, 이런 사람들은 문제를 정면으로 마주할 힘이 없는 나약한 자들이다.

실제로 자존감이 높은 사람은 자신의 부정적인 부분을 그대로 볼 수 있다. "그래, 난 돈 문제에 무책임할 때가 있어." "그래, 난 내 성공을 과장할 때가 있어." "그래, 난 타인에게 지나치게 의존해. 자립심을 키워야겠어." 그리고 더 나은 사람이 되기 위해 행동한다. 그러나 허세꾼들은 자신의 문제를 솔직히 인정할 수 없기 때문에 삶을 알차고 의미 있는 방향으로 바로잡지 못한다. 끝없이 쾌락을 좇고 부정을 차곡차곡 쌓아 올릴 뿐이다.

그러나 결국엔 현실이 들이닥쳐, 근본적인 질문이 다시 한 번 그들을 일깨우고 말 것이다. 단지 그날이 언제냐, 그리고 얼마나 고통스러울 것이냐가 문제일 뿐이다.

최고 혹은 최악, 1%가 되어야 한다는 강박증

우리는 경이로움의 홍수 속에서 살아간다. 최고 중의 최고, 최악 중의 최악. 최고의 몸매, 제일 재미있는 농담, 가장 충격적인 뉴스, 최악의 테러 따위가 쉼 없이 밀려든다.

현대인의 삶은 극단적인 경험으로 가득하다. 대중매체가 사람의 이목을 끌어 돈이 되는 극단적인 것들을 내보내기 때문이다. 이게 핵심이다. 하지만 사람들은 대체로 단조롭고 평범하게 살아간다. 다시 말해, 대다수의 사람들이 전혀 예외적이지 않은 지극히 평균적인 삶을 살아간다. 한 분야에서 특출하다 해도, 다른 대부분의 분야에서는 평균이거나 평균을 밑돌 것이다. 그럴 수밖에 없다. 한 분야에서 대단한 사람이 되려면, 엄청난 시간과 에너지를 거기에 쏟아부어야 한다. 그런데 인간에게 허용된 시간과 에너지에는 한계가 있기 마련이다. 그러니 한 사람이 모든 분야는커녕 여러 분야에서 특출하기조차 거의 불가능하다고 해도 과언이 아닐 것이다.

성공적인 사업가가 사생활은 개판인 경우가 흔하다. 불세출의 운동선수가 뇌 절제술을 받은 돌덩어리처럼 천박하고 멍청한 경우도 흔하다. 수많은 유명인이 그들의 추종자들만큼이나 삶에 대해 아무것도 모른다.

우리 모두는 대체로 평범한 사람인데 세간의 이목을 끄는 건 전부 극단적인 것들이다. 우리는 이 사실을 이미 대충 눈치채고 있지만, 입에 올리지도 않고 이게 왜 문제인지 논의하는 일도 없다.

인터넷, 구글, 페이스북, 유튜브, 수백 개의 TV 채널 등 미디어의 힘은 굉장하다. 하지만 인간의 주의력은 제한되어 있다. 우리는 끊임없이 밀려드는 정보의 물결을 다 처리할 수 없다. *따라서 우리의 관심을 끄는 0과 1의 나열은 수많은 정보 중 0.0001%에 속하는 극히 예외적인 것들뿐이다.*

극단적인 정보의 홍수 속에서 우리는 예외주의를 새로운 기준으로 받아들이고 있다. 그런데 예외적인 정보가 쇄도하면, 지극히 평범한 우리로서는 불안과 절박함을 느낄 수밖에 없다. 누구나 어디 한 군데는 분명히 부족한 면이 있게 마련이니까. 그래서 점점 더 허세와 중독을 통해 보상받으려는 욕구를 느끼고, 결과적으로 스스로를 과장하거나, 타인을 과장하거나 둘 중 하나를 택하게 된다.

이를 위해 누군가는 벼락부자가 되기 위한 계획을 꾸며낸다. 누군가는 굶주린 아이를 구하기 위해 하늘을 가로질러 아프리카로 향한다. 누군가는 학교에서 최고가 되어 상이란 상은 모조리 휩쓴다. 누군가는 학교에 총을 난사한다. 누군가는 말하고 숨 쉬는 모든 것과 섹스하려 한다.

이런 현상은 내가 앞서 말한 허세 문화 확대와 맥을 같이 한다. 이런 문화적 변화를 밀레니엄 세대 탓으로 돌리는 목소리가 있지만, 그건 그들이 가장 유행에 민감하고 눈에 잘 띄는 세대이기 때문일 것이다. 사실, 허세를 부리는 경향이 사회 전반에 존재한다는 건 누가 봐도 분명하다. 난 이런 경향이 대중매체가 선도한 예외주의와 연관된다고 생각한다.

문제는 최첨단 기술과 매스미디어 마케팅이 보편화되면서 사람들이 자신에게 거는 기대가 왜곡되었다는 것이다. 예외적인 것이 범람하면서 사람들은 자신을 더 못났다고 느끼게 됐다. 그리고 주목 받거나 존재감을 드러내기 위해, 더 극단적이고 더 근본적으로 행동하고 더 자신감을 가져야 할 필요를 느끼게 됐다.

어린 시절 난 깊은 인간관계를 맺을 때 불안을 느꼈는데, 이런 불안을 악화시킨 건 대중문화에 만연한 남성성에 대한 그릇된 편견 때문이었다. 그런데 이런 이야기가 아직도 돌아다닌다. 록스타처럼 파티를 즐겨야 멋진 남자다. 여자한테 칭찬받는 게 존중받는 거다. 남자의 일생에서 가장 가치 있는 것은 섹스이니, 얼굴에 철판을 깔고서라도 그걸 얻으라.

대중매체가 비현실적인 정보를 계속 쏟아냄에 따라, 우리는 비현실적으로 높은 기준을 지나치게 자주 접하게 되고, 그 결과 불안감은 더욱 커진다. 또 해결할 수 없는 문제에 시달릴 뿐만 아니라 루저가 된 느낌까지 드는데, 그도 그럴 것이 인터넷 검색을 잠깐만 해봐도 아무런 문제가 없어 보이는 사람들이 수천 명은 나오기 때문이다.

모든 것이 산산이 부서진 인생 최악의 하루

내 청소년기는 끔찍했다. 10대 시절 나는 9개월 만에 친구, 인간관계, 법적 권리, 그리고 가족을 전부 잃었다. 20대에 나를 상담했던 심리 치료사는 이걸 '엿 같은 트라우마'라고 표현했다. 난 그 후로 10여 년 동안 이 문제를 해결하기 위해 애썼고, 자신에게만 몰두하는 허세에 빠진 철부지가 되지 않으려 노력했다. 내 이야기를 한번 들어볼 텐가?

오전 9시 생물학 수업, 나는 책상에 엎드려 시계 초침을 바라보고 있었다. 째깍거리는 소리가 염색체와 유사분열에 관해 웅얼대는 선생님의 말소리 사이로 끼어들었다. 답답하고 환한 교실에 갇힌 열세 살답게, 난 지루했다.

누군가 문을 두드렸다. 교감 선생님이 고개를 들이밀었다. "실례하겠습니다. 마크, 잠깐 나와서 나 좀 볼래? 아, 가방도 가지고 나와." 이상했다. 학생이 교감에게 불려가는 일은 종종 있다. 하지만 교감이 학생을 직접 부르러 오는 일은 흔치 않다. 난 가방을 챙겨서 나갔다.

복도에는 우리 말고는 아무도 없었다. 베이지색 사물함 수백 개가 늘어서 있었다. "마크, 네 사물함 좀 봐도 될까?" "그럼요." 난 슬렁슬렁 복도를 가로질렀다. 더벅머리에 헐렁한 청바지와 메탈밴드 판테라가 그려진 티셔츠 차림을 한 채로.

사물함 앞에 다다르자 교감이 말했다. "열어볼래?" 난 그렇게 했다. 교감은 한 걸음 앞으로 나오더니 공책과 연필만 빼고 코트, 운동 가방, 배낭 등 사물함에 있는 모든 물품을 챙겼다. 그런 뒤 걸음을 옮겼다. "따라오너라." 그는 뒤도 안 돌아보고 말했다. 불안이 엄습했다.

교감실로 따라 들어가니 교감은 나더러 앉으라고 했다. 문을 닫아걸고, 창가로 가서 블라인드를 내렸다. 난 손에 땀이 나기 시작했다. 이건 보통 일이 아니었다. 그는 자리에 가만히 앉아서 내 물건을 샅샅이 뒤졌다. 주머니를 살피고, 지퍼를 열고, 운동복을 턴 다음 바닥에 내려놓았다.

교감은 먼 산을 바라보며 말했다. "마크, 내가 뭘 찾고 있는지 알지?"

"아니요." 내가 대답했다.

"마약."

그 말에 머리칼이 쭈뼛 섰다.

"마, 마약이요?" 난 말을 더듬었다. "무슨 마약이요?"

교감은 엄한 눈길로 날 노려봤다. "글쎄다. 무슨 마약을 하니?" 그리고 내 바인더를 열어 펜을 꽂아두는 주머니를 살펴봤다. 땀이 곰팡이처럼 손에서 팔로 그리고 목으로 퍼져 나갔다. 피가 머리와 얼굴로 쏠려 관자놀이에서 맥박이 느껴졌다. 학교에 마약을 가져왔다는 혐의를 처음 받게 된 열세 살답게, 난 도망가서 숨고 싶었다.

"무슨 소리를 하시는 거죠?" 난 이의를 제기했지만, 목소리는 기어들어가는 듯했다. 이럴 때일수록 더 당당해야 한다는 생각이 들었다. 아니, 아닐지도 모른다. 겁을 먹어야 하는지도 모른다. 거짓말쟁이는 겁을 먹는 걸까, 당당한 걸까? 어느 쪽이든, 난 반대로 행동하고 싶었다. 그러나 자신감이 점점 떨어졌다. 자신감 없는 내 목소리에 자신감이 떨어져서 더 자신감이 떨어졌다. 망할 지옥의 무한궤도 같으니라고.

"그것도 한번 보자." 교감의 눈길이 주머니가 100개는 달린 듯한 배낭으로 향했다. 주머니마다 철부지 10대의 필수품이 들어 있었다. 컬러 펜, 오래전 수업 시간에 돌려본 쪽지, 케이스가 깨진 90년대 초반 CD, 말라버린 형광펜, 절반은 뜯긴 낡은 스케치북, 미칠 듯이 느리게 흘러가는 중학교 생활 동안 쌓인 먼지와 보풀과 쓰레기.

난 틀림없이 빛의 속도로 땀을 쏟아냈을 것이다. 시간이 연장되고 확장된 듯했다. 오전 9시 2교시 생물학 수업의 시계로는 몇 초에 불과했던 시간이 지금은 태초에서 구석기시대에 이르는 시간인 듯 느껴졌다. 난 매 순간 태어나고 죽었다. 존재하는 건 나와 교감, 그리고 물건을 꺼내고 또 꺼내도 바닥이 보이지 않는 나의 배낭뿐이었다.

중석기시대 어디쯤에서 교감이 배낭 수색을 끝냈다. 아무것도 나오지 않자 심사가 뒤틀린 듯했다. 배낭을 뒤집자 온갖 잡동사니가 바닥으로 와르르 쏟아졌다. 이제 교감도 나처럼 진땀을 흘리고 있었다. 한 가지 다른 점이 있다면, 나는 벌벌 떨었지만, 교감은 화가 났다는 것이었다.

"오늘은 마약을 안 가져왔군. 그렇지?" 교감은 애써 무심한 척 했다.

"네." 나도 그랬다.

내 물건들 중 도덕이나 법에 어긋나는 것은 없었다. 마약은커녕, 교칙에 어긋나는 것조차도 없었다. 교감은 한숨을 내쉬더니 코트와 배낭마저 바닥에 던져버렸다. 그리고 몸을 숙여 나와 눈높이를 맞췄다.

"마크, 마지막 기회야. 솔직히 말하는 게 좋을걸. 나중에 거짓말이 들통나면, 그때는 나도 책임 못 져."

난 침을 꼴깍 삼켰다.

"자, 사실대로 말해." 교감이 다그쳤다. "마약 어딨어?"

난 솟구치는 눈물을 삼키며 그의 얼굴을 똑바로 바라봤다. 그러나 겁먹은 청소년이 별 수 있겠는가. 부끄럽게도 정작 입에서 흘러나온 건 애원하는 목소리였다.

"없어요, 마약이 어디 있다고 그러세요. 저한테 왜 이러시는 거예요."

"알았다." 교감은 체념한 듯했다. "소지품 챙겨서 나가봐."

교감은 못내 아쉬운 듯 바람 빠진 풍선 같은 배낭에 마지막 눈길을 던졌다. 마치 바닥에 널브러진 배낭이 약속을 저버리기라도 한 것처럼. 그러더니 될 대로 되라는 식으로 배낭을 한 발로 잘근잘근 밟기 시작했다. 최후의 시도였다. 난 그가 꺼져 주기를 간절히 기도했다. 그래야 이 악몽을 싹 잊고 내 삶을 되찾을 수 있을 테니까. 그런데 그때 교감의 발이 멈췄다.

"이게 뭐지?" 교감은 그걸 발로 톡톡 건드렸다.

"뭐가요?"

"여기 아직 뭐가 있는데." 교감은 배낭을 집어 올려 바닥을 훑었다. 눈앞이 캄캄해지고 하늘이 무너지는 듯했다.

난 똑똑하고 싹싹한 아이였다. 하지만 한편으로는 꼴통이었다. 최대한 좋게 말해서. 난 반항적이고 거짓말 좀 하는 악동이었다. 분노로 가득 찬 성난 아이였다. 열두 살 때는 냉장고 자석으로 보안장치를 해킹해서 한밤중에 집을 몰래 빠져나갔다. 친구 엄마가 잠든 사이 기어를 중립에 놓은 차를 도로로 밀고 나와, 친구와 함께 드라이브하기도 했다. 극단적인 보수파 기독교인 영어 선생님께 낙태를 주제로 쓴 보고서를 과제로 제출하기도 했다. 친구 엄마의 담배를 친구와 함께 슬쩍한 뒤 학교 뒷골목에서 아이들에게 팔기도 했다. 그리고 배낭 밑바닥에 비밀 공간을 만들어 대마초를 숨겼다.

교감이 발로 밟은 곳이 내가 대마초를 숨긴 바로 그 공간이었다.

난 쭉 거짓말을 하고 있었다. 약속대로 교감은 날 봐주지 않았다. 몇 시간 뒤, 수갑을 찬 채로 경찰차 뒷좌석에 갇힌 열세 살답게, 난 이번 생은 망했다고 생각했다.

부모님은 날 집 밖으로 못 나가게 했다. 그래서 당분간 친구 없이 지내야 했고, 학교에서 퇴학당하는 바람에 그해가 끝날 때까지 집에서 공부해야 했다. 엄마의 성화에 못 이겨 머리를 잘라야 했고, 마릴린 맨슨과 메탈리카의 티셔츠도 모조리 버려야 했다(1998년을 사는 청소년에게 이건 '쪽팔림'에 의한 사형선고나 마찬가지였다). 아빠는 아침이면 날 사무실로 끌고 가서 몇 시간 동안이나 서류 작업을 시켰다. 다시 학교에 갈 수 있게 되자마자, 난 작은 사립 기독교 학교로 보내졌다. 그곳은 당연히 나와 맞지 않았다.

마침내 내가 못된 버릇을 고쳐 제대로 과제를 제출하고 올바르고 책임감 있는 성직자의 가치를 알게 되었을 때, 부모님은 이혼을 결정했다.

당시 우리 가정의 문제는 우리가 했던 끔찍한 말과 행동에만 있지 않았다. 오히려 우리가 해야 했지만 하지 않았던 말과 행동이 문제였다. 우리 가족은 워런 버핏이 어떻게 돈을 버는지나 연예계의 가십과는 담을 쌓고 지냈다. 우리는 담 쌓기의 달인이었다. 어느 정도냐면, 혹시 우리 집에 불이라도 났다면 이렇게 말했을 거다. "에이, 괜찮아. 좀 덥긴 하지만, 정말이야, 다 괜찮아."

부모님이 이혼했지만, 접시가 날아다니고 문을 쾅쾅 닫는 일은 없었다. 누가 누구 인생을 망쳤네 하면서 격하게 말다툼하는 일도 없었다. 부모님은 이건 너희 잘못이 아니라고 말하며 형과 나를 안

심시켰고, 그 즉시 우리는 질의응답 시간을 가졌다. 그래, 잘못 읽은 게 아니다. 정말로 우리는 새로운 생활 방식에 관해 세세히 묻고 답했다. 눈물 한 방울, 고성 한 번이 없었다. 부모님이 그나마 감정의 동요를 내비친 순간은 형과 나에게 "우린 절대 바람은 안 피웠단다"라고 말했을 때였다. 와, 좋은데. 좀 덥긴 했지만 정말 다 괜찮았다.

우리 부모님은 좋은 분들이다. 이혼 때문에 부모님을 비난할 생각은 전혀 없다(적어도 지금은). 난 부모님을 진심으로 사랑한다. 부모님에겐 부모님 나름의 사정과 인생 역정과 문제가 있다. 세상 모든 부모가 그렇듯이. 그리고 다른 부모와 마찬가지로, 우리 부모님도 최선을 다했음에도 자신들의 문제 가운데 일부를 나에게 전가하게 된 것이었다. 아마 나도 내 아이들에게 그럴 날이 올 것이다. 이런 '엿 같은 트라우마'를 겪으면, 우리는 무의식적으로 이 문제는 절대 해결할 수 없다고 생각하게 마련이고, 그렇게 가정하면, 비참함과 무력감을 느끼게 된다.

하지만 그것만이 아니다. 해결할 수 없는 문제가 있을 때, 우리의 무의식은 스스로가 어떤 면에서 아주 특별하거나 아주 모자라거나 둘 중 하나라는 판단을 내린다. 또 나는 다른 사람과는 뭔가 다르고, 세상의 규칙에 연연할 필요도 없다고 판단한다. 이런 것이 바로 허세다.

청소년기의 고통은 나를 허세의 길로 이끌었고, 난 20대 초반까지 그 길에서 빠져나오지 못했다. 지미가 사업 세계에서 허세를 부리며 엄청나게 성공한 척했다면, 난 인간관계 특히 여자관계에서 허세를 부렸다. 내 트라우마는 '친밀감'과 '승낙'을 축으로 돌아갔다. 그래서 끊임없이 과잉보상 욕구를 느꼈다. 다시 말해 사람들이 날 사랑하고 받아들인다는 것을 항상 자신에게 증명하려 했다. 그 결과, 코카인 중독자가 코카인 눈사람에 빠져드는 것처럼 여자 꽁무니를 따라다니는 바람둥이가 됐다. 한번 그 짓에 재미를 붙이자 좀처럼 헤어날 수가 없었다. 난 선수가 됐다. 철없고 이기적이지만, 때로는 매력적인 선수. 거의 10년 내내 난 가볍고 불건전한 관계를 줄줄이 이어갔다.

섹스는 즐거웠지만 내가 갈망한 건 그게 아니었다. 내가 바란 건 '인정'이었다. 인기 있고, 사랑받으며, 생애 처음으로 가치 있는 사람이 되었다는 느낌. 인정에 대한 갈망은 나 잘난 맛에 살고 제멋대로 굴려는 내 정신 상태에 한몫을 했다. 허세를 부리며, 내 맘대로 말하고 행동하고, 신뢰를 깨뜨리며, 타인의 감정을 무시했다. 그러고는 나중에 건성으로 같잖은 사과를 하는 것으로 그 짓들을 정당화했다.

이 시기에 즐겁고 짜릿한 순간을 경험한 건 사실이다. 아름다운 여성도 만났다. 하지만 그 시기 내내, 내 삶은 표류하고 있었다. 직장을 여러 번 잃고, 친구 집의 소파나 엄마 집에 얹혀 지내고, 이기지도 못할 술을 마시고, 친구들과 멀어졌다. 게다가 마음에 쏙 드는 여성을 만나도, 자아도취로 인해 금세 모든 걸 망치곤 했다.

고통이 깊어질수록, 우리는 문제에 대항할 힘을 잃고 그에 대한 보상 심리로 허세를 받아들인다. 그리고 대체로 그 양상은 다음의 두 방식 중 하나로 나타난다.

1 난 대단한 사람이고, 남들은 다 머저리야. 그러니까 난 특별한 대우를 받을 자격이 있어.
2 난 머저리고, 남들은 다 대단한 사람이야. 그러니까 난 특별한 대우를 받을 자격이 있어.

겉보기엔 정반대의 사고방식 같지만, 그 중심에는 똑같이 이기적이고 나약한 속마음이 자리하고 있다. 허세꾼들이 두 방식 사이를 왔다 갔다 하는 모습을 실제로 본 적 있을 것이다. 그날의 기분이나 그 순간의 허세 만족도에 따라, 이들은 세상의 꼭대기에 있기도 하고 바닥에 있기도 하다.

지미 같은 인간이 자아도취에 빠진 꼴통이라는 건 대부분의 사람이 쉽게 알아챈다. 망상에 가까운 자만심이 뻔히 보이기 때문이다. 하지만 끊임없이 자신을 못나고 가치 없다고 여기는 사람도 실은 허세꾼이라는 건 잘 모른다. 세상만사를 다 끌어들여 자신을 피해자로 몰아가는 사고방식도 엄청나게 이기적인 태도다. '내겐 아무런 문제도 없다'는 믿음과 마찬가지로, '내겐 해결할 수 없는 문제가 있다'는 믿음을 유지하는 데도 상당한 에너지와 망상에 가까운 자의식이 필요하다.

사실 '나 혼자만의 문제' 같은 건 존재하지 않는다. 당신이 경험하는 문제를 수많은 사람이 과거에 겪었고, 지금도 겪고 있고, 미래에도 겪을 것이다. 주변 사람들 또한 그럴 것이다. 당신에게 생긴 문제나 당신이 느끼는 고통을 과소평가하는 게 아니다. 피해자 시늉도 때를 봐가며 하라는 소리가 아니다. 내가 하고 싶은 말은 하나다. 당신은 특별하지 않다.

당신은 유망주도 아니고 실패자도 아니다

불교의 가르침에 따르면, '자아'란 각자가 제멋대로 만들어낸 관념일 뿐이며, 우리는 내가 존재한다는 생각 자체를 버려야 한다. 다른 말로 하면, 자의적인 기준으로 자신을 규정하는 행위는 사실상 자승자박이나 마찬가지이니 차라리 모든 것을 놓아버리는 편이 낫다는 뜻이다. 어떻게 보면, 신경 끄라는 소리나 마찬가지다.

좀 삐딱하게 들리지만, 이런 마음가짐으로 살아갈 때 얻을 수 있는 심리적 이점이 있다. 머릿속에 담고 있는 자아상을 버리면, 자유롭게 행동하고 실패하며 성장할 수 있다. '난 인간관계에 서툰 것 같아'라고 있는 그대로 받아들이면, 그 순간 당신의 에너지를 갉아먹던 수많은 관계에서 자유로워질 수 있다. 사회적인 사람이 되어야 한다는 당신의 정체성이 사라지기 때문이다. '그래, 난 반항아가 아니라 샌님인가 봐'라고 자기를 있는 그대로 받아들이는 학생은 속박에서 벗어나 열정을 되찾을 수 있다. 학자가 되겠다는 꿈을 좇다가 실패해도 거리낄 것이 없기 때문이다.

여기 어찌 보면 좋기도 하고 어찌 보면 나쁘기도 한 소식이 있다. 거두절미하고 말하자면, 당신의 문제는 특별하지 않다. 그렇기 때문에 놓아버리면, 크나큰 자유를 맛볼 수 있다.

근거 없는 확신으로 인한 두려움도 일종의 허세를 낳는다. 내가 탄 비행기가 사고로 추락할 비행기라고 믿을 때, 내 사업 계획이 모두가 비웃을 어리석은 계획이라고 생각할 때, 내가 바로 모두가 조롱하고 비웃을 사람이라고 여길 때, 우리는 자기도 모르게 속으로 이렇게 생각하고 있는 거다. "난 달라. 남들과는 달라. 난 특별해." 이게 바로 자아도취, 나르시시즘이라는 거다. 그것도 아주 전형적인. 여기에 빠진 사람들은 내 문제는 남다른 것이라고, 내 문제는 물리 세계의 법칙을 따르지 않는 유별난 것이라고 생각한다.

충고하건대, 자신이 특별하다거나 남다르다는 생각을 버려라. 삶의 기준을 평범하고 일반적인 것으로 다시 정하라. 자신을 유망주나 재야의 천재로 보지 말라. 비참한 피해자나 형편없는 실패자로도 여기지 말라. 그보다 훨씬 평범한 정체성인 학생, 배우자, 친구, 창작자와 같은 기준으로 자신을 평가하라.

자기의 정체성을 좁고 희귀한 것으로 규정할수록, 더 많은 삶의 요소들이 위협적으로 보일 것이다. 그러므로 되도록 단순하고 일상적인 방식으로 자신을 규정하라.

이렇게 살아가려면 거창한 자아상을 버려야 한다. 이를테면, 나는 유별나게 똑똑하다거나, 재능이 넘친다거나, 엄청나게 매력 있다거나, 상상을 초월할 만큼 괴롭게 산다는 생각을 버려야 한다. 내 덕에 세상이 돌아가고 있다거나 내가 세상에서 제일 불행하다는 엉뚱한 믿음도 버려야 한다. 오랫동안 의존해 온 감정적 쾌락도 끊어야 한다. 이런 것들을 포기하면, 약쟁이가 주삿바늘을 버릴 때처럼 금단 증상을 겪을 것이다. 하지만 그 대가로 새사람이 될 것이다.

4

운동을 즐기는 사람은 멋진 몸을 갖고
워커홀릭은 초고속 승진을 하며
고된 연습을 견딘 아티스트는 무대 위에서 빛을 발한다.
당신이 선택한 고통이 당신을 만든다.

자기 파괴적 이상에 일생을 바친 사람들

제2차 세계대전은 인류 역사상 가장 참혹한 결말을 낳았다. 1945년 8월 미국이 투하한 원자폭탄이 히로시마와 나가사키에 떨어졌고 일본은 항복했다. 1944년 말, 전쟁은 일본에게 불리하게 전개되고 있었다. 일본의 경제가 휘청거렸으며 아시아의 절반에 군대를 파견하는 무리수를 둔 상황에서 태평양 전역에 걸친 점령지가 미군 앞에 도미노처럼 무너지고 있었다. 패배는 불을 보듯 뻔했다.

그해 12월, 일본군 소위 오노다 히로가 필리핀의 작은 섬 루방에 파견됐다. 그의 임무는 미군의 진격을 최대한 지연시키며 끝까지 맞서 싸우고, 절대 항복하지 않는 것이었다. 사실상 자살 임무라는 걸 지휘관과 오노다 모두 인지하고 있었다.

1945년 2월, 미군이 압도적인 군사력으로 루방을 점령했다. 며칠 만에 일본군 대부분이 전사하거나 투항했다. 그러나 오노다와 그의 부하는 가까스로 밀림으로 숨어들어 미군과 원주민을 상대로 유격전을 펼쳤다. 보급로를 공격하고, 길 잃은 군인을 쏘며 수단과 방법을 가리지 않고 미군을 방해했다.

같은 해 8월, 미국이 원자폭탄을 투하했다. 하지만 여전히 태평양 섬 곳곳에 일본군 수천 명이 오노다처럼 전쟁이 끝났다는 사실을 모른 채 밀림에 숨어 있었다. 그들은 전시와 마찬가지로 전투와 약탈을 계속했다. 전후 동아시아를 재건하는 데 이들이 큰 걸림돌이었기 때문에, 각국 정부는 조치를 취하기로 합의했다.

미군은 전쟁은 끝났으니 모두 집으로 돌아가라는 전단을 태평양 전역에 살포했다. 오노다와 부하들도 전단을 발견해 읽었다. 하지만 다른 패잔병들과 달리 오노다는 이것을 미군이 유격대를 유인하기 위해 꾸민 계략이라고 판단했다. 그는 전단을 불태운 뒤 부하들과 함께 유격전을 계속했다.

그렇게 5년이 지났다. 전단 살포는 중단됐고, 미군의 대부분은 이미 본국으로 돌아간 지 오래였다. 루방 원주민은 농업과 어업을 하는 일상으로 돌아가고자 했다. 하지만 오노다와 부하들은 여전히 농부를 총으로 쏘고, 농작물에 불을 지르고, 가축을 훔치고, 깊은 숲속을 거니는 원주민을 살해했다. 필리핀 정부는 새 전단을 만들어 밀림 전역에 뿌렸다. "전쟁은 끝났다. 일본이 졌다. 나와라."

그러나 이 역시 소용없었다.

일본 정부는 태평양에 남아 있는 마지막 패잔병들을 끌어내기 위해 최후의 시도를 했다. 이번에는 가족의 편지와 사진, 그리고 일왕의 친서를 공중 살포했다. 이번에도 오노다는 그 정보를 사실로 받아들이지 않았다. 다시 한 번 이것은 미군의 계략이라고 믿었다. 그리고 또다시 부하들과 함께 전투를 계속했다.

몇 년이 더 지났다. 이들의 테러에 진저리가 난 필리핀 원주민들은 마침내 자체적으로 무장한 뒤 대응에 나섰다. 1959년 무렵엔 이미, 오노다의 부하 중 1명이 원주민에게 투항하고 1명이 살해된 상태였다.

그로부터 10여 년 뒤, 마지막 부하 고즈카가 논에 불을 지르던 중 지역 경찰과의 교전 끝에 사망했다. 제2차 세계대전이 끝난 지 25년이 지났음에도 원주민과의 전쟁을 벌이고 있었던 것이다!

루방의 밀림에서 반평생을 넘게 보낸 오노다는 이제 혼자였다. 1972년, 고즈카의 사망 소식이 일본에 알려지며 논란이 일었다. 일본인들은 제2차 세계대전에 참전했던 일본군이 이미 수년 전에 남김없이 귀환했다고 알고 있었다. 일본 언론은 고즈카가 1972년까지 생존해 있었다면, 제2차 세계대전의 마지막 일본인 패잔병으로 알려진 오노다 또한 아직 살아 있을지 모른다고 생각했다. 그해에 일본과 필리핀 정부는 이 수수께끼 같은 소위를 찾기 위해 수색대를 파견했다. 이제는 신화인지 영웅인지 유령인지 모를 한 인물을 찾기 위해서.

그러나 수색대는 아무것도 발견하지 못했다. 몇 달이 지나자 그의 이야기는 일본에서 전설이 됐다. 사실로 믿기에는 지나치게 터무니없는 전쟁 영웅 이야기 말이다. 많은 이가 그를 미화했고, 어떤 이는 비판했다. 누군가는 '과거의 일본'을 그리워하는 자들이 꾸며낸 이야기라고 했다.

그때쯤 모험가이자 히피인 스즈키 노리오라는 청년이 오노다의 이야기를 처음 들었다. 학교를 그만둔 뒤 4년 동안 아시아·중동·아프리카를 누비고, 공원 벤치·모르는 사람의 차·감방·별빛 아래에서 잠을 자고 히치하이크를 하며, 농장에서 일을 돕고 헌혈을 하는 등의 방법으로 숙식을 해결하는 남자였다. 스즈키는 자유로운 영혼을 가진 괴짜였다.

1972년, 스즈키는 또 다른 모험을 원했다. 여행을 마치고 일본으로 돌아와 마주한 엄격한 문화 규범과 사회계층에 숨이 막혔다. 학교가 싫었다. 직장 생활을 견딜 수 없었다. 다시 여행을 떠나 제멋대로 살고 싶었다.

스즈키에게 오노다 히로 이야기는 계시였으며 도전해볼 만한 새로운 모험이었다. 스즈키는 오노다를 찾아낼 사람은 자신뿐이라고 믿었다. 그리고… 정말로 찾아냈다! 일본과 필리핀, 미국 정부가 지휘한 수색대도 못 찾았고, 지역경찰이 30년 동안 밀림을 뒤졌지만 허사였으며, 전단지를 그렇게 뿌려 댔음에도 찾을 수 없었던 바로 그 오노다를 찾은 것이다. 대학을 중퇴한 이 게으름뱅이 히피가 말이다.

정찰과 전술이라고는 아무것도 모르는 스즈키는 맨몸으로 루방에 가서 혼자 정글을 헤집고 다녔다. 그의 전략은 오노다의 이름을 크게 부르며 일왕이 당신을 걱정하고 있다고 외치는 것이었다. 그리고 나흘 만에 오노다를 찾아냈다.

1년 넘게 혼자 지냈던 오노다는 스즈키를 통해 바깥세상에서 어떤 일이 일어났는지 간절히 듣고 싶었다. 둘은 일종의 동료애를 느꼈다. 스즈키는 오노다에게 여기에 남아 계속 전쟁을 벌이는 이유를 물었다. 오노다의 답은 간단했다. “절대 항복하지 말라는 명령을 받았기 때문이다.” 그는 30년 동안 그저 명령을 따른 것이었다. 그는 스즈키에게 자신을 찾아온 이유가 뭐냐고 물었다. 스즈키는 3가지를 찾아 일본을 떠났다고 말했다. "오노다 소위, 판다, 설인을 순서대로 찾기로 했습니다."

두 남자에게는 묘한 공통점이 있었다. 마치 돈키호테와 산초가 환생한 것 같았다. 필리핀 밀림의 축축한 은신처에서 단결한 이들은 가진 것도 이루어낸 것도 없는 혈혈단신의 몸으로 자신이 영웅이라고 상상하고 있었다. 오노다는 이미 인생 대부분을 환상 속의 전쟁에 바친 뒤였고, 스즈키도 비슷한 운명이었다. 스즈키는 오노다와 판다를 찾은 뒤, 히말라야에서 혼자 설인을 찾던 도중 사망했다. 그들은 순수한 의도로 허황된 영광을 좇았다.

인간은 쓸모없거나 파괴적으로 보이는 이상에 인생을 송두리째 바치기도 한다. 얼핏 이런 이상은 말이 안 되는 것처럼 보인다. 오노다는 30년 동안 곤충과 설치류를 잡아먹고, 흙바닥에서 잠을 자며, 민간인을 살해했는데 그런 그가 어떻게 행복할 수 있었겠는가. 또한 스즈키는 왜 동료도 없이 상상 속의 설인을 찾아내겠다는 일념으로 죽음을 자초했는가.

하지만 오노다는 아무것도 후회하지 않는다고 말했다. 그는 자신의 선택과 루방에서 보낸 시간들을 자랑스러워했다. 존재하지도 않는 제국을 위해 인생의 대부분을 바친 것을 명예로 여긴다고 했다. 살아 있었더라면, 스즈키도 비슷한 말을 했을 것이다. 자신이 하고자 한 일을 그대로 했고, 아무것도 후회하지 않는다고 말이다.

고통이 불가피하다면, 살아가면서 문제를 피할 수 없다면, 우리가 던져야 하는 질문은 '고통을 어떻게 멈출 것인가'가 아니라 '나는 왜 고통받고 있는가', 즉 '무엇 때문에 고통받는가'다.

이들은 자신이 받을 고통을 선택했다. 오노다 히로는 사라진 제국을 위해 충성을 바치며 고통받고자 했다. 스즈키는 비록 경솔하긴 했지만 모험을 하며 고통을 자처했다. 두 남자 모두에게 자신이 선택한 고통은 의미가 있었다. 그들은 고통을 통해 위대한 이상을 실현했고, 의미가 있었기에 고통을 견딜 수 있었다. 아니, 심지어 즐길 수 있었다.

오노다 히로는 일본으로 귀국한 뒤 유명인사가 됐다. 토크쇼와 라디오 방송을 바삐 오갔고, 정치인들이 앞다퉈 손을 내밀었다. 책을 펴냈고, 심지어 정부로부터 거액을 받았다. 하지만 일본으로 돌아와 목격한 광경에 오노다는 경악했다. 자신의 세대가 보고 자란 '명예'와 '희생'이라는 전통은 온데간데없는 얄팍한 소비주의와 자본주의 문화에 충격을 받은 것이다. 오노다는 갑작스레 얻은 유명세를 활용해 옛 일본의 가치를 수호하려 했지만, 그건 새로운 사회에 대한 감을 잡지 못한 행동이었다. 사람들은 오노다를 진지한 사상가가 아닌 전시품으로 취급했다. 마치 박물관의 유물처럼, 모두가 신기해하는 '타임캡슐에서 튀어나온 일본인'이었다.

이 무슨 운명의 장난일까. 오노다는 밀림에 있을 때도 이렇게 절망스럽지는 않았다. 그때는 적어도 삶을 지탱해 주는 뭔가가 있었고, 삶에 의미가 있었다. 그래서 고통을 견딜 수 있었으며, 심지어 고통에도 일말의 가치가 있었다. 하지만 귀환해서 그가 마주한 일본은, 서양 옷을 입은 히피와 문란한 젊은이들로 가득한 얼빠진 나라였다.

이 시점에서 오노다는 피할 수 없는 진실을 맞닥뜨렸다. 자신의 싸움은 아무 의미도 없었다. 그가 살았고 몸 바쳤던 일본은 더는 존재하지 않는다. 그리고 이 깨달음의 고통은 어떤 총알과도 비교할 수 없는 방식으로 오노다를 꿰뚫었다. 루방에서 겪은 고통이 아무 의미 없다면, 거기서 보낸 30년 또한 의미없는 시간이 되기 때문이었다. 1980년, 오노다는 결국 짐을 꾸려 브라질로 이주해 그곳에서 여생을 마쳤다.

외제차를 갖지 못해서 불행하다는 착각

자신을 있는 그대로 바라보는 건 쉬운 일이 아니다. 자신을 있는 그대로 바라보려면, 곤란한 질문을 자신에게 해야 한다. 내 경험에 의하면, 마음을 불편하게 하는 답일수록 참일 가능성이 크다.

당신을 괴롭히는 것을 잠시 떠올려보라. 그리고 그게 왜 당신을 괴롭히는지 자문해보라. 아마도 실패가 관련돼 있을 것이다. 그렇다면 그 실패를 당신이 왜 실패로 여기고 있는지 생각해보라. 실패가 사실은 실패가 아니라면? 당신이 잘못 생각해 온 거라면?

최근에 있었던 일을 예로 들겠다.

'문자를 해도 이메일을 보내도 형이 답을 안 하니 괴롭네.'

왜?

'형이 나한테 눈곱만큼도 신경을 안 쓴다는 뜻이니까.'

왜 그렇게 생각해?

'형이 나와의 관계를 중요하게 생각한다면, 10초는 시간을 내서 답

장을 할 테니까.'

왜 형과 소원한 걸 실패라고 생각해?

'우린 형제니까. 형제는 관계가 좋아야 하니까!'

내 판단에는 2가지 요소가 작용하고 있다. 하나는 내가 소중히 여기는 가치, 다른 하나는 그 가치를 향해 나아가기 위해 내가 사용하는 기준이다. 예컨대, 내 가치는 형제가 서로 좋은 관계를 유지해야 한다는 것이고, 기준은 전화나 이메일로 자주 연락하는 것이다. 나는 이 기준을 통해 내가 형제로서 성공했는지를 판단한다. 이 기준을 고수하는 나는 스스로를 실패자로 느끼고, 가끔은 그 때문에 토요일 아침을 망치곤 한다.

이 과정을 더 깊이 파고들 수도 있다.

왜 형제는 좋은 관계를 유지해야 하지?

'가족이니까. 그리고 가족은 친해야 하니까!'

왜 그렇게 생각해?

'가족은 세상 그 누구보다 중요해야 하니까!'

왜 그렇게 생각해?

'가족과 가까운 게 '정상'이고 '건전'한 건데, 난 그렇지 못하니까.'

난 형과 좋은 관계를 유지해야 한다는 근본 가치를 확신하고 있지만, 기준 때문에 고심하고 있다. 이 기준을 '친해야' 한다는 말로 바꿔도 보았지만, 달라지는 건 없다. 여전히 형제 관계를 연락 빈도로 평가하고, 이 기준에 따라 나를 주변 사람과 비교하고 있다. 남들은 가족과 친한 관계를 유지하는데(또는 그렇게 보이는데) 난 그렇지 못하다. 그러니까 난 틀림없이 뭔가 잘못됐다.

하지만 내가 형편없는 기준을 고집하고 있는 거라면? 더 나은 기준이 있는데 내가 미처 생각지 못한 거라면? 어쩌면 좋은 관계가 꼭 친한 관계를 의미하는 건 아닌지도 모른다. 서로 존중하거나 신뢰하는 거로 충분할 수 있다(우리는 서로 존중하고 신뢰한다). 문자를 주고받는 빈도보다는 존중과 신뢰라는 기준으로 형제애를 평가하는 편이 나을 것이다.

확실히 말이 된다. 맞는 말 같다. 하지만 난 여전히 형과 친하지 않다는 사실에 속이 쓰리다. 이건 누가 봐도 좋은 일이 아니다. 은근슬쩍 자신을 속이려야 속일 수가 없다. 그러나 형제라고 해서 다 친한 건 아니며, 심지어 서로 사랑하는 형제도 친하지 않을 수 있고, 그래도 괜찮다. 처음엔 받아들이기 힘들겠지만, 그래도 괜찮다. 당신이 처한 상황에 관한 객관적 사실보다, 당신이 그 상황을 어떻게 바라보고 어떤 가치와 기준으로 평가하느냐가 더 중요하다. 문제가 생기는 건 필연적이겠지만, 문제의 의미는 필연적이지 않다. 문제의 의미는 우리가 어떤 사고방식과 평가기준을 선택하느냐에 따라 달라진다.

이처럼 문제가 되는 건 우리가 자기 자신을 제대로 알고 있지 못하다는 점이다. 때로는 스스로의 감정이 어떤지조차도 잘 모른다. 아내와 나는 때로 이런 식의 입씨름을 하곤 했는데, 당시에는 내 감정이 어떤지 나 역시 몰랐기 때문이다.

아내 왜 그래?

나 뭐가? 아무 일 없는데.

아내 아니, 뭔가 있어. 말해 봐.

나 진짜야, 아무 일 없어.

아내 정말이야? 낯빛이 안 좋은데.

나 (어색하게 웃으며) 그래? 아니야, 진짜 괜찮아.

30분 뒤.

나 생각할수록 열 받네! 그 자식은 항상 날 무시한다니까!

자기를 인식하는 일은 양파와 닮아 있다. 여러 층으로 이루어져 있으며, 그 층들을 벗길수록 쌩뚱맞게 눈물 나는 일이 많아진다는 점에서다. 그런 일이 일어나는 건, 내가 제대로 몰랐던 감정을 보게 되기 때문이다. 그래서 자기인식의 첫 단계는 자기감정을 이해하는 것이다. '난 이럴 때 행복해', '난 이럴 때 슬퍼', '난 이럴 때 희망을 느껴'와 같은 종류의 인식 말이다. 하지만 안타깝게도, 가장 기초적인 수준의 자기인식에도 젬병인 사람이 대부분이다. 나도 그렇기 때문에 잘 안다.

이렇게 자신의 감정이 어떤 것인지 잘 인식하지 못하는 경우는 흔하다. 우리 모두가 이러한 '감정적 맹점'을 갖고 있다. 이는 보통 한 개인이 성장하는 과정에서 부적절한 것으로 여기게 된 감정과 관련이 있다. 우리 안의 맹점을 정확히 인식하고 그 감정을 제대로 표현하려면, 몇 년 동안 각고의 노력을 기울여야 한다. 하지만 이것은 그만큼 노력할 가치가 있는 대단히 중요한 일이다.

자기인식 양파의 두 번째 층은 우리가 어떤 감정을 '왜' 느끼는지를 묻는 능력이다. 감정의 이유를 찾는 이 질문은 몹시 어려우며, 어쩌면 일관되고 정확한 답을 찾는 데 몇 달 혹은 몇 년이 걸릴 수도 있다. 대부분의 사람이 이 질문을 처음 듣는 순간은 심리 치료사를 만났을 때다. 그 전까지 우리는 왜 어떤 감정을 느끼는지 정확히 따져보지 않는다. 이 질문이 중요한 이유는, 이를 통해 자신이 생각하는 성공과 실패가 무엇인지 분명히 알 수 있기 때문이다. '난 왜 화가 날까?' '목표를 이루지 못해서일까?' '난 왜 무기력한 기분이 들지?' '스스로 능력이 부족하다고 생각하기 때문일까?'

이 질문들은 어떤 감정이 우리를 위축시키는 지 근본 원인을 이해하는 데 도움을 준다. 이론적으로는 원인을 이해하면 즉시 그걸 변화시키는 작업에 돌입할 수 있다.

하지만 자기인식 양파에는 더 깊은 층이 있다. 눈물로 가득한 이 세 번째 층은 바로 개인의 가치관이다. '나는 왜 이것을 성공 또는 실패로 간주할까?' '난 자신을 어떻게 평가하고 있는 거지?' '난 자신과 주변 사람을 어떤 기준으로 판단하고 있는 걸까?'

세 번째 층은 끊임없이 질문하고 노력해야 간신히 닿을 수 있다. 하지만 가치관이 우리 문제의 본질을 규정하고, 문제의 본질이 삶의 질을 규정하므로, 이 단계가 가장 중요하다.

가치관은 인간의 존재와 행동의 밑바탕을 이룬다. 우리가 쓸모없는 것에 가치를 둔다면, 가령 엉뚱한 것을 성공 또는 실패로 생각한다면, 그 가치관에 기초한 모든 것이 엉망이 된다. 생각, 감정, 일상적인 느낌 모든 것이 말이다. 어떤 상황에 관한 우리의 생각과 느낌은 궁극적으로 우리가 그것에 얼마나 가치를 두느냐에 좌우된다.

대부분의 사람이 '왜 그런 가치관을 갖는가'라는 질문에 정확히 답하기를 꺼린다. 그 결과 자신이 어디에 가치를 두는지를 깊이 이해하는 데 실패한다. 이들은 입으로는 정직과 진정한 친구에 가치를 둔다고 떠들 테지만, 돌아서면 자기 기분을 위해 다른 사람을 헐뜯을 것이다. 사람은 누구나 외로움을 느낀다. 그런데 왜 자기가 외로움을 느끼는지 자문할 때, 이들은 다른 사람을 비난할 방법을 생각해낸다. 다른 사람들은 다 못됐다거나, 자신을 이해하기에는 남들이 너무 멍청하다는 식으로 말이다. 그러면서 문제를 해결하기는커녕 점점 더 피하기에 이른다.

이들은 이런 방식을 '자기인식'이라고 믿는다. 그러나 어디에 근본적인 가치를 두고 있는지 좀 더 깊이 들여다보면, 이런 분석은 문제를 정확히 알아내는 것이 아니라 문제를 회피하는 것에 기초하고 있다는 걸 알게 될 것이다. 이들의 결정은 진정한 행복이 아니라 쾌락 추구에 기초할 뿐이다.

자기계발 도사들 또한 이러한 자기인식의 깊은 단계를 무시한다. 부자가 되고 싶어 안달이 난 사람들을 끌어 모아 '이렇게 하면 돈을 더 벌 수 있다'며 별의별 방법을 제시하지만, 가치관을 다루는 중요한 질문은 외면한다. 이를테면 '우리는 애초에 왜 부자가 되고픈 욕구를 느낄까?', '성공과 실패를 가늠하는 나름의 기준은 무엇일까?', '벤틀리를 몰지 못한다는 사실이 아니라, 어떤 특정한 가치가 우리가 불행을 느끼는 근본 원인은 아닐까?' 같은 질문들 말이다.

색다른 조언들 대부분이 단기적으로 사람들의 기분을 좋게 해주는 얄팍한 수법일 뿐, 장기적으로 진짜 문제를 해결하는 데는 전혀 도움이 되지 않는다. 사람들의 지각과 느낌은 변하기 마련이지만, 근본적인 가치관과 그 가치관을 평가하는 기준은 변하지 않는다. 얄팍한 조언에 기대는 건 진정으로 성장하는 길이 아니다. 그건 그저 더 큰 쾌락을 얻기 위한 또 다른 길에 지나지 않는다.

메탈리카에서 하루 아침에 쫓겨난 남자

1983년, 재능 있는 젊은 기타리스트 한 명이 밴드에서 쫓겨났다. 그것도 상상할 수 있는 최악의 방식으로. 밴드는 막 음반 계약을 체결해 첫 음반을 녹음하기 직전이었다. 그런데 그때, 밴드는 기타리스트를 쫓아냈다. 경고도, 토론도, 떠들썩한 송별식도 없었다. 어느 날 고향으로 가는 버스표 한 장을 손에 쥐여 주며 말 그대로 정신이 번쩍 나게 한 것이다. 로스앤젤레스에서 뉴욕으로 가는 버스에 앉아 그는 되물었다. '어떻게 이럴 수가! 내가 뭘 잘못했지? 이제 난 어쩌지? 처음이자 마지막 기회를 놓친 건 아닐까?' 그도 그럴 것이 음반 계약이란 건 어느 날 하늘에서 뚝 떨어지는 게 아니다. 특히 요란한 신예 메탈 밴드에게는 더더욱 그렇다.

하지만 버스가 로스앤젤레스에 도착할 즈음, 기타리스트는 자기

연민에서 벗어나 새 밴드를 만들기로 다짐했다. 새 밴드를 엄청나게 성공시켜서 과거의 밴드가 자신들의 결정을 영원토록 후회하게 해주리라. 멋지게 성공해서 TV와 라디오, 포스터, 잡지에서 수십 년 동안 그들이 내 모습을 보게 하리라. 그들은 어디선가 햄버거 패티를 뒤집고, 허접한 클럽에서 공연을 마친 뒤 밴에 짐을 싣는 신세일 것이다. 별 볼 일 없는 배우자와 결혼해 뚱뚱한 주정뱅이가 되어 있을 것이다. 하지만 나는 경기장을 가득 메운 관중 앞에서 미친 듯 연주하고, 그 모습은 TV로 생중계될 것이다. 배신자들의 눈물로 목욕을 한 뒤, 눈물 한 방울마다 빳빳한 100달러 지폐 한 장씩 사용해 닦아낼 것이다.

그는 음악의 악마에게 홀리기라도 한 듯 작업에 몰두했다. 이전 밴드보다 훨씬 뛰어난 최고의 연주자를 모집하는 데 몇 달을 들이고, 수십 곡을 만들어 엄격하게 연습했다. 끓어오르는 분노가 야망에 기름을 끼얹고, 복수심이 영감을 주었다. 약 2년 뒤 그의 밴드는 마침내 음반 계약을 따냈고, 그로부터 1년 뒤에 낸 밴드의 첫 음반은 50만 장이 넘게 팔렸다.

이 기타리스트의 이름은 데이브 머스테인이다. 그가 만든 밴드는 바로 전설적인 헤비메탈 밴드 메가데스다. 이후 메가데스는 음반을 2,500만 장 이상 팔았으며, 세계로 순회공연을 다니고 있다. 뿐만 아니라 오늘날 머스테인은 헤비메탈 역사에서 가장 성공적이고 영향력 있는 음악가 중 하나로 손꼽힌다.

하지만 불행하게도, 그를 쫓아낸 밴드는 메탈리카였다. 메탈리카의 음반은 전 세계에서 1억 8,000만 장이 팔렸다. 메탈리카는 역대 최고의 록 밴드 중 하나로 손꼽힌다.

2003년 한 인터뷰에서, 머스테인은 눈물을 글썽이며 여전히 자신을 실패자로 느낄 수밖에 없노라고 고백했다. 그렇게 엄청난 성취를 이뤄냈음에도, 마음속에서 자신은 영원히 메탈리카에서 쫓겨난 놈일 뿐이었던 것이다.

우리는 유인원이다. 스스로를 유명 디자이너의 신발을 신고 오븐토스터를 사용하는 엄청 세련된 존재로 여기지만, 우리는 그저 정교하게 꾸며진 유인원 무리에 지나지 않는다. 그리고 유인원이기 때문에, 본능적으로 자신을 타인과 비교하며 지위를 놓고 경쟁을 벌인다. 그러므로 우리가 자신을 타인과 비교해 평가하느냐 아니냐는 질문거리도 못 된다. 중요한 건 우리가 '어떤 기준'으로 자신을 평가하는지 묻는 것이다.

의식적이든 아니든, 데이브 머스테인은 밴드에서 쫓겨났던 경험이 너무나 끔찍했던 나머지, '메탈리카와 비교해 얼마나 성공했는지'를 기준으로 자신과 자신의 음악 인생을 평가했다. 끔찍한 사건을 극복하고 메가데스라는 긍정적인 결과를 낳았음에도 자신의 삶을 메탈리카의 성공을 기준으로 규정하기로 한 탓에 머스테인은 그 후로 수십 년 동안 고통받았다. 엄청나게 많은 돈을 벌고 그를 찬양하는 팬들이 넘쳐났음에도 그는 여전히 자신을 실패자로 생각했다.

아마 많은 이들이 이런 데이브 머스테인의 모습을 비웃을 것이다. 백만장자에 좋아하는 일을 하고, 열성팬이 수십만 명인 자가 20년 전 록스타 친구들이 자기보다 더 유명하다는 이유로 아직도 눈물을 짠다고?

그건 우리의 가치관과 기준이 머스테인과 다르기 때문이다. 우리의 기준은 아마도 이런 식일 거다. "난 짜증나는 상사 밑에서 일하기 싫어." "난 돈을 넉넉히 벌어서 아이들을 좋은 학교에 보내고 싶어." "적어도 길거리에 나앉는 일은 없어야지." 이런 기준에 따르면, 머스테인은 믿기 힘들 만큼 성공했다. 하지만 '메탈리카보다 더 인기 있고 더 성공해야 한다'는 그의 기준에 따르면, 머스테인은 실패했다.

우리는 가치관에 따라 자신과 타인을 평가하는 기준을 정한다. 오노다는 일본 제국에 대한 충성에 가치를 둔 덕에 루방에서 30년을 버틸 수 있었다. 하지만 바로 그 가치 탓에 일본으로 돌아갔을 때 비참함을 느꼈다. 메탈리카보다 잘나가야 한다는 기준은 머스테인이 록스타로 우뚝 서는 데 도움이 됐다. 하지만 이 기준이 결국 성공을 성공 아닌 것으로 만들어버렸다.

우리 역시 문제를 다른 관점에서 바라보고 싶다면, 어디에 가치를 둘 것인지 그리고 어떤 기준으로 실패와 성공을 가를 것인지를 다시 생각해봐야 한다.

같은 시련을 겪고도 다른 결말을 만들어낸 비틀스 전 멤버

밴드에서 쫓겨난 다른 음악가를 예로 들어보자. 20년이나 앞서 일어났던 일이지만, 이 남자의 이야기는 머스테인과 묘하게 닮아 있다. 때는 1962년, 잉글랜드 리버풀 출신의 신예 밴드 비틀스가 돌풍을 일으키고 있었다. 머리 모양이 좀 우스꽝스럽고 밴드 이름은 더 우스꽝스러웠지만, 음악만은 두말할 나위 없이 끝내줬기에 음반 업계의 눈길을 끌었다. 존이 리드 보컬과 작사·작곡을, 동안의 소유자 폴이 낭만적인 베이스 연주를, 조지가 반항적인 리드 기타를 맡았다. 그리고 드러머가 있었다.

넷 중 드러머의 인물이 제일 훤했다. 여자들은 전부 그에게 열광했으며, 잡지에 얼굴이 가장 먼저 실린 것도 밴드에서 가장 프로다운 것도 그였다. 마약도 안 했다. 진지하게 사귀는 여자친구도 있었다. 정장을 차려입은 사람 중 몇몇은 존이나 폴이 아니라 그가 밴드의 얼굴이 되어야 한다고 생각하기도 했다. 그의 이름은 피트 베스트다.

1962년 첫 음반 계약을 따낸 뒤, 나머지 세 멤버는 매니저인 브라이언 엡스타인을 따로 불러 베스트를 해고하라고 했다. 엡스타인은 고심했다. 베스트가 마음에 들었던 그는 일단 결정을 유보하고 세 멤버가 마음을 돌리기를 기다렸다. 몇 달 뒤, 첫 음반 녹음을 불과 3일 남겨 놓은 상태에서 엡스타인은 마침내 베스트를 사무실로 불렀다. 그러고는 대뜸, 가서 다른 밴드를 알아보라고 했다. 이유도 설명도 위로도 없이. 그저 다른 녀석들이 네가 나가길 바란다고 한 뒤 행운을 빈다는 말을 덧붙였다.

밴드는 후임자로 나이 많고 코가 큰 괴짜, 링고 스타를 들였다. 링고는 머리 모양을 존, 폴, 조지와 똑같이 맞췄고, 문어와 잠수함에 관한 노래를 만들자고 했다. 다른 멤버들은 말했다. "그래, 젠장, 해보지 뭐."

베스트를 해고한 지 6개월이 지나자, 그들의 열성팬인 비틀매니아가 우후죽순처럼 생겨났고, 존과 폴과 조지와 피트 링고는 지구상에서 가장 유명한 4인이 되어 있었다.

당연히 베스트는 심각한 우울증에 빠져 하염없이 술을 퍼마시고 있었다. 이래서 영국인 한테는 술 마실 핑계를 주지 말아야 하는 법이다. 베스트에게 1960년대는 고난의 연속이었다. 1965년 무렵엔 비틀스 멤버 두 명을 명예훼손으로 고소했으며, 음악 활동 역시 완전히 실패한 상태였다. 3년 뒤에는 자살까지 기도하다가 어머니의 만류로 그만두었다. 베스트는 만신창이가 됐다.

머스테인과는 달리 베스트한테는 그럴싸한 후일담이 없다. 세계적인 슈퍼스타가 되지도 백만장자가 되지도 못했다. 그럼에도 머스테인보다 베스트의 인생이 여러모로 나은 듯하다. 1994년의 인터뷰에서 베스트는 말했다. "계속 비틀스 멤버로 지냈다면 지금처럼 행복할 수는 없었을 겁니다."

응? 뭐라고?

베스트의 설명에 의하면, 비틀스에서 쫓겨났기 때문에 아내가 될 여인을 만나게 되었고, 결혼도 하고 아이도 낳게 되었다. 그 과정에서 전과는 다른 것에 가치를 두고 삶을 다른 식으로 평가하게 되었다. 명성과 영예도 물론 좋다. 하지만 베스트는 사랑스런 가족, 안정적인 결혼 생활, 단순한 삶 등 자신이 이미 누리고 있는 것이 더 중요하다고 판단했다. 게다가 2000년대까지도 줄곧 드럼을 연주하며 유럽 순회공연을 하고 음반을 녹음했다. 그렇다면 그가 잃은 건 뭘까? 사람들의 주목과 칭찬뿐이다. 그리고 그 대가로 베스트는 훨씬 더 의미 있는 것을 얻었다.

두 이야기가 보여주는 바는, 어떤 가치와 기준은 다른 것들보다 우월하다는 것이다. 어떤 것은 차근차근 술술 풀리는 좋은 문제를 낳고, 어떤 것은 그 반대로 나쁜 문제를 낳는다.

완전히 무시해도 좋은 엉터리 가치들

몇몇 가치는 사람들에게 으레 형편없는 문제, 다시 말해 해결이 거의 불가능한 문제를 던져준다. 그중 몇 가지를 훑어보자.

1 **쾌락** 쾌락은 좋은 것이지만, 인생 전반에 걸쳐 우선시할 만한 가치는 결코 아니다. 알코올중독자에게 쾌락을 추구한 결과가 무엇인지 물어보라. 바람을 피워 가정을 파탄 내고 아이를 잃은 사람에게 쾌락으로 인해 행복을 얻었는지 물어보라. 흡연으로 병을 얻은 사람에게 쾌락이 문제 해결에 도움을 줬는지 물어보라.
쾌락은 가짜 신이다. 연구에 따르면, 얕은 쾌락에 에너지를 쏟는 사람이 불안과 감정 동요, 우울함을 더 많이 느낀다. 쾌락은 만족감 가운데 가장 얄팍한 형식이기에 그만큼 얻기도 쉽고 잃기도 쉽다. 그럼에도 쾌락은 연중무휴로 사고 팔리며, 우리는 쾌락에 꽂혀 멍하게 살아간다. 적절한 쾌락은 사는 데 필수적이지만, 쾌락에는 충분함이라는 게 아예 존재하지 않는다.
쾌락은 행복의 원인이 아니라 결과다. 가치와 기준을 바로 세우면, 그 결과로 쾌락이 따라올 것이다.

2 물질적 성공 많은 사람이 자기가 돈을 얼마나 버는지, 어떤 차를 모는지, 또는 내 집에서 보이는 전망이 다른 집보다 얼마나 좋은지로 자존감을 측정한다.

연구에 의하면, 일단 의식주와 같은 기본적인 욕구를 충족하고 나면, 행복과 세속적 성공의 상관관계는 급속히 0으로 향한다. 당신이 인도에서 노숙을 하며 굶주리고 있다면, 1년에 1만 달러를 더 버는 건 행복에 엄청난 영향을 미칠 것이다. 하지만 당신이 선진국의 중산층에 안착해 있다면, 가욋돈 1만 달러는 밤낮으로 죽도록 일만 하는 무의미한 일상에 별다른 영향을 미치지 않을 것이다.

물질적 성공을 과대평가하면 정직, 비폭력, 연민과 같은 다른 가치를 상대적으로 저평가하게 된다는 점도 문제다. 자신을 행동이 아니라 사회적 지위를 나타내는 상징물로 평가하게 되면, 사람이 천박해질 뿐만 아니라 천하의 몹쓸 놈이 되기 십상이다.

3 '나는 다 안다'는 태도 인간의 두뇌는 효율적인 기계가 아니다. 우리는 날이면 날마다 형편없는 가정을 받아들이고, 확률을 잘못 계산하며, 사실을 틀리게 기억하고, 잘못된 판단을 내리며, 일시적 기분에 휩쓸려 결정을 내린다. *인간은 틀리는 게 일상이다.* 따라서 당신이 성공적인 삶을 위한 기준이 늘 옳기를 바라는 사람이라면, 아마도 헛소리를 스스로 합리화하고 있는 중일 것이다.

나는 다 안다는 식으로 자존감을 세우는 사람은 시행착오를 통해 뭔가를 배울 기회를 얻지 못한다. 이들은 새로운 관점을 받아들이지 않고 타인에 공감하지 못한다. 더불어 새롭고 중요한 정보를 스스로 차단한다.

차라리 '난 무지해서 아는 게 별로 없다'는 태도를 취하는 편이 훨씬 도움이 된다. 그러면 미신적이거나 허술한 믿음에 얽매이는 대신, 지속적으로 배우고 성장할 수 있다.

4 무한 긍정 어떤 사람들은 거의 모든 일을 긍정적으로 받아들일 수 있는지를 기준으로 자신의 삶을 평가한다. "실직했다고? 잘됐네, 마음 가는 대로 살아볼 기회야!" "남편이 내 친구와 바람을 피웠다고?" "음, 적어도 주변 사람들에게 네가 어떤 존재인지 알게 됐잖아. 아이가 사고만 치다가 퇴학당했다고? 대학 등록금 걱정할 일은 없겠네!"

인생을 낙천적으로 바라보는 것도 나름대로 의미가 있기는 하다. *하지만 삶은 때로 엉망진창이라는 게 사실이고, 당신이 할 수 있는 가장 건전한 일은 그 사실을 받아들이는 것이다.*

부정적인 감정을 받아들이지 않으면, 부정적인 감정이 더 깊어지고 오래가며 감정이 장애를 일으키고 만다. 한결같은 긍정은 일종의 회피일 뿐, 삶의 문제에 대한 적절한 해결책이 아니다. 올바른 가치관과 기준을 확립한다면, 삶의 문제는 오히려 우리에게 활력과 자극을 준다.

사실 문제는 단순하다. 일이 꼬이고, 사람들이 내 속을 뒤집어 놓으며, 사고가 터진다. 이런 일들이 생기면, 우리는 엿 같은 기분을 느낀다. 하지만 괜찮다. 부정적인 감정은 우리 정신 건강의 필수 요소다. 부정적인 감정을 받아들이지 않는 건 문제를 풀지 않고 영원히 남겨 놓는 것이나 마찬가지다.

부정적인 감정을 잘 다루려면, 부정적인 감정을 사회적으로 용인되는 건전한 방식으로, 그리고 자신의 가치관에 부합하는 방식으로 표출해야 한다. 예를 들어 나는 비폭력이라는 가치를 수호하는데, 이를 위한 기준은 손찌검하지 않는 것이다. 그래서 난 화가 났을 때 분노를 표출하긴 하지만, 절대 상대방의 얼굴에 주먹을 날리지는 않는다. 과격한 소리라는 건 나도 안다. 하지만 분노 자체가 문제는 아니다. 분노는 자연스러운 현상이며 삶의 일부다. 단언컨대, 화를 내는 게 엄청나게 도움이 될 때가 자주 있다. (감정은 피드백 메커니즘임을 명심하라.)

문제는 다른 사람의 얼굴에 주먹을 날리는 행동이지, 분노가 아니다. 분노는 당신에게 주먹을 날리라는 명령을 전달하는 것뿐이다. 전달자인 분노를 탓하지 말고, 내 주먹(이나 당신 얼굴)을 탓하라.

무조건 긍정적으로만 생각하는 습관이 들면, 삶에는 문제가 있게 마련이라는 사실을 부정하게 된다. 그리고 문제를 부정하면, 문제를 풀어 행복을 얻을 기회를 잃게 된다. 문제는 삶에 의미와 가치를 더한다. 따라서 문제를 피하다 보면, 우리는 (즐거울지는 모르겠으나) 무의미한 존재로 살아가게 된다.

장기적으로 보면, 초콜릿 케이크를 먹을 때보다 마라톤을 완주할 때 더 큰 행복을 느낄 수 있다. 비디오게임에서 이길 때보다 아이를 키울 때가 더 행복하다. 새 컴퓨터를 살 때보다 친구와 작은 사업을 시작해 간신히 입에 풀칠만 하고 살 때 더 큰 행복감을 느낀다. 이런 활동은 스트레스를 주고, 고되며, 때로는 불쾌하기도 하다. 또 가혹한 문제를 연이어 낳는다. 하지만 이런 것들이야말로 우리에게 가장 의미 있는 순간이자 가장 기쁜 일이다. 고통과 투쟁은 물론 분노와 절망까지 따르겠지만, 일단 해내고 나면 훗날 촉촉한 눈매로 과거를 회상하며 손주들에게 옛이야기를 들려줄 수 있을 것이다.

프로이트는 말했다. "어느 날 문득 돌아보면, 투쟁했던 나날이 가장 아름답게 느껴질 것이다."

그러므로 쾌락, 물질적 성공, 나는 다 안다는 태도, 무한 긍정과 같은 가치는 삶의 이상으로 삼기에 적절치 않다. 한 사람의 삶에서 가장 빛나는 순간은 쾌락, 성공, 지식, 긍정과는 거리가 멀다.

중요한 건 좋은 가치와 기준을 못 박아 정하는 것이다. 그러면 즐거움과 성공은 그 결과로 자연히 따라온다. 즐거움과 성공은 좋은 가치관의 부산물로, 그 자체로는 공허한 쾌락에 지나지 않는다.

더 나은 삶을 원한다면, 더 나은 가치에 신경 써라

가치는 우선순위를 매기는 문제와 관련된다. 누구나 좋은 집을 원하고 많은 돈을 벌고 싶어 할 것이다. 문제는 우선순위를 어디에 두느냐다. 당신이 다른 어떤 것보다 우선시해서 당신의 결정에 가장 큰 영향을 미치는 가치는 무엇인가?

오노다 히로가 최고의 가치로 여긴 건 일본 제국에 대한 절대적인 충성과 복종이었다. 알고 있겠지만, 이 가치는 썩은 초밥보다 더한 악취를 풍겼다. 이 때문에 히로는 고약한 문제를 감당해야 했다. 머나먼 섬에 처박혀 30년 동안 곤충과 벌레를 먹으며 생존해야 했던 것이다. 게다가 무고한 민간인도 죽여야만 했다. 히로는 자신의 기준에 따라 살며 자기가 성공했다고 여겼지만, 내가 보기에 그는 완전히 실패한 인생을 살았다. 여기에 토를 달 사람은 없을 것이다. 그런 상황에서 그처럼 행동하겠다는 사람도, 그의 행동을 칭찬할 사람도 없을 것이다.

데이브 머스테인은 엄청난 명성과 성공에도 불구하고 자신이 실패했다고 느꼈다. 타인의 성공과 자신의 성공을 변덕스럽게 비교하는 데 가치를 두었기 때문이다. 이 때문에 그는 다음과 같은 끔찍한 문제를 겪었다. '음반을 1억 5000만 장 더 팔아야겠어. 그러면 다 괜찮아질 거야', '다음 순회공연은 무슨 일이 있어도 대형 경기장에서 열어야 해' 따위의 압박감 말이다. 머스테인은 이런 문제를 해결해야 행복해질 수 있다고 생각했다. 그가 행복해하지 못한 건 어찌 보면 당연한 일이다.

반면에 피트 베스트는 반전을 이뤘다. 비틀스에서 쫓겨난 충격으로 반쯤 정신을 놓아버리기도 했지만, 나이가 들면서 어떤 일에 신경 써야 하는지를 새로이 깨닫고 삶을 새로운 관점에서 바라볼 수 있게 되었다. 덕분에 베스트는 대가족과 함께 안락한 생활을 누리는 행복하고 건강한 노인이 되었다. 아이러니하게도, 비틀스 멤버 4인은 이러한 가치를 얻거나 유지하기 위해 수십 년 동안 쩔쩔맸다.

엉터리 가치를 선택하면, 다시 말해 자신과 타인에 대해 잘못된 기준을 세우면, 중요하지 않은 것과 삶을 사실상 망가뜨리는 것에 신경을 쓰게 된다. 하지만 더 나은 가치를 선택하면 더 나은 것에 신경을 쏟게 된다. 중요한 것, 즉 삶에 안정감을 주고 그 결과로 행복과 즐거움, 성공을 전해주는 것에 신경을 쏟을 수 있다.

진정한 의미의 '자기계발'이라는 건 곧 더 나은 가치를 우선하는 것이며 더 나은 것에 신경을 쓰는 것이다. 더 나은 것에 신경을 써야 더 나은 문제가 생기기 때문이다. 그리고 더 나은 문제를 다뤄야 삶이 나아진다.

그렇다면 좋은 가치와 나쁜 가치는 어떻게 구별할 수 있을까?

좋은 가치는

① 현실에 바탕을 두고 ② 사회에 이로우며 ③ 직접 통제할 수 있다.

나쁜 가치는

① 미신적이고 ② 사회에 해로우며 ③ 직접 통제할 수 없다.

정직은 좋은 가치다. 왜냐면 완전히 통제할 수 있고, 현실을 반영하며, 타인에게 이롭기 때문이다(불편할 때가 있긴 하지만). 반면에 인기는 나쁜 가치다. 인기가 당신의 가치라면, 그리고 댄스파티에서 최고로 인기 있는 사람이 되는 게 그 기준이라면, 우선 많은 일이 당신의 통제 밖에 있게 될 것이다. 이를테면 거기에 누가 참석

할지 알 수 없고, 참석자의 절반은 모르는 사람일 것이다. 게다가 이 가치와 기준은 현실에 바탕을 두고 있지도 않다. 요컨대, 남들이 실제로 당신을 어떻게 생각하는지와는 무관하게 당신 멋대로 자기가 인기 있다고 또는 인기 없다고 느낄 것이다. (여담이지만, 타인의 시선을 겁내는 사람은 사실 자기 눈에 비친 자신의 형편없는 모습을 겁내고 있는 경우가 많다.)

건전하고 좋은 가치의 예로는 정직, 혁신, 유연함, 자립, 후원, 자존감, 호기심, 너그러움, 겸손, 창조 등이 있다. 해롭고 나쁜 가치의 예로는 속임수나 폭력에 의한 지배, 무분별한 섹스, 늘 즐기며 살기, 항상 주목받기, 혼자 있지 않기, 모두에게 사랑받기, 부자가 되기 위해 돈 벌기, 사이비 신을 위해 작은 동물을 제물로 바치기 등이 있다.

이미 눈치 챘겠지만, 건전하고 좋은 가치는 내적으로 얻는 것이다. 창조성이나 겸손은 지금 당장이라도 경험할 수 있다. 마음만 먹으면 된다. 이런 가치들은 우리가 직접 통제할 수 있으며, 또한 우리가 공상이 아니라 현실을 마주하고 살아가게 해 준다. 나쁜 가치는 일반적으로 외적 사건에 의존한다. 예를 들어, 전용기 타기, 듣기 좋은 소리만 듣기, 비싼 집 사기, 고급 술집에서 캐비어 먹기 등이 있다. 나쁜 가치가 즐거움을 줄 때도 있다. 하지만 우리의 통제 밖에 있으므로 그걸 얻으려면 종종 사회에 해롭거나 미신적인 수단을 동원해야 한다.

우리의 삶을 변화시킬 5가지 가치

가치관은 우리의 존재와 행동의 밑바탕을 이룬다. 쓸모없는 것에 가치를 둔다면, 가령 엉뚱한 것을 성공 또는 실패로 생각한다면, 그 가치에 기초한 모든 것(생각, 감정, 일상적인 느낌)이 엉망이 될 것이다. 어떤 상황에 관한 우리의 생각과 느낌은 궁극적으로 그것에 얼마나 가치를 두느냐에 좌우된다.

나머지 장에서는 내 삶에 커다란 영향을 끼친 5가지 가치에 대해 말할 것이다. 난 이것들이 우리가 선택할 수 있는 가장 유익한 가치라고 생각한다. 언뜻 보기에는 직관에 어긋나는 것으로 보일지 모른다. 지금까지 익숙하게 들어왔던 자기계발과는 다른 길이기 때문이다. 또한 이 가치들은 부정적이라는 점에서 한결같이 '역효과 법칙'을 따른다. 쾌락을 통해 문제를 회피하는 대신 문제를 정면으로 맞서기를 요구한다. 처음에 이 5가지 가치는 색다르고 불편하게 느껴질 것이다. 하지만 이것들이 내 삶을 바꿔놓았다.

첫 번째 가치는 강한 책임감이다.

당신의 삶에서 일어나는 모든 일에 책임을 지는 것이다. 누구의 잘못이든 상관없이 말이다. 때로 억울하고, '이건 내 잘못이 아니야!'라고 외치고 싶은 순간에도 당신의 삶에서 일어난 일에 책임을 지는 것이다.

두 번째는 당신의 믿음을 맹신하지 않는 것이다.

당신이 100% 옳다는 확신을 내려놓고, 언제든 실수하고 틀릴 수 있다는 가능성을 받아들이는 것이다. 그렇게 자신의 무지를 인정하고, 기존에 갖고 있던 믿음에 끊임없이 의문을 제기함으로써 당신은 독선주의 허세꾼이 되지 않을 수 있다.

세 번째는 실패다.

우리 모두가 겪기를 두려워하지만 겪을 수밖에 없는 것. 그 실패가 우리를 앞으로 나아가게 할 것이다. 결점과 실수를 기꺼이 발견하고 받아들임으로써, 우리는 발전한다.

네 번째는 거절이다.

당신은 아니라고 말할 수 있어야 하고, 상대의 거절을 받아들일 수도 있어야 한다. 거절을 통해 내 삶에 무엇을 받아들이지 않을 것인지 명확히 정의할 수 있다.

마지막 가치는 내가 언젠가는 죽는다는 사실을 숙고하는 것이다.

조금은 멀고 추상적으로 느껴지겠지만, 이것이 가장 중요하다. 왜냐하면 자신의 죽음을 깊이 숙고해본 뒤에야 비로소 다른 모든 가치를 올바로 바라볼 수 있기 때문이다.

5

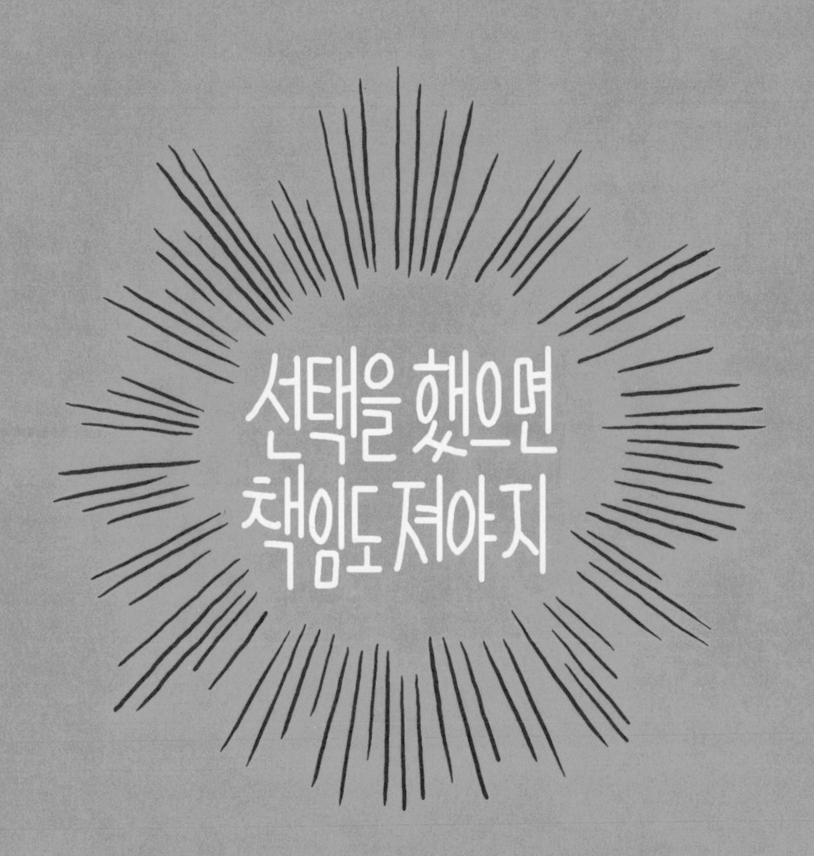

선택을 했으면 책임도 져야지

인생에서
당신을 움직이는 것은 무엇인가
자발적인 선택인가,
강요된 압박인가.

42.195킬로미터를 어떻게 달릴 것인가

이런 상상을 해보자. 누군가 나타나 42.195킬로미터를 뛰지 않으면 가족을 죽이겠다고 당신을 협박한다. 생각만 해도 끔찍하다. 이번엔 이런 상상을 해보자. 멋진 운동화와 스포츠용품을 구입해 몇 달 동안 엄격히 훈련한 뒤 처음으로 마라톤을 완주한다. 결승점에서는 당신을 기다리는 가족과 친구가 환호를 보낸다. 아마도 인생에서 가장 자랑스러운 순간이 아닐까.

똑같은 사람이 똑같이 42.195킬로미터를 뛰고 똑같이 고통이 온몸으로 퍼진다. 하지만 자발적으로 선택해 준비했을 때는 인생에서 가장 빛나는 순간이 되고, 억지로 했을 때는 인생에서 가장 괴로운 경험이 된다.

쓰라린 기분을 느낄 것인가, 솟구치는 기운을 느낄 것인가. 둘 사이를 가르는 건, '이건 내 선택이니 내 책임이다'라는 마음가짐이다. 지금 비참함을 느끼고 있다면, 아마도 그건 현재 상황의 일부를 내가 통제할 수 없다고 여기기 때문일 것이다. 다시 말해 내 능력으로는 해결할 수 없는 문제, 내 선택과는 무관하게 억지로 떠맡은 문제가 있다고 생각하기 때문이다. 내 문제는 내가 선택한다고 생각할 때, 우리는 에너지를 느낀다. 반면 내 의사와 상관없이 문제가 강요되었다고 생각할 때, 우리는 부당함과 비참함을 느낀다.

대학 시절, 나는 프로 갬블러가 돼볼까 하는 터무니없는 상상을 했다. 포커로 돈과 이런저런 것들을 땄다. 재미있었지만 1년 정도 열중한 뒤 그만뒀다. 컴퓨터 화면을 쳐다보며 밤을 꼴딱 새우고, 오늘 딴 수천 달러를 내일 몽땅 잃는 생활은 나에게 맞지 않았다. 게다가 포커는 생계 수단으로서 딱히 건전하거나 안정적이지도 않았다. 하지만 포커를 치면서 보낸 시간은, 삶을 바라보는 나의 관점에 엄청난 영향을 미쳤다.

포커의 매력은, 언제나 운이 얽혀 있지만 운이 게임의 장기적인 결과를 좌우하지는 않는다는 점이다. 나쁜 카드를 받은 사람이 좋은 카드를 받은 사람을 이길 수 있다. 물론 좋은 카드를 받은 사람이 승리할 가능성이 크다. 하지만 결국 승자는 각 선수가 게임 중에 어떤 선택을 하느냐에 따라 결정된다.

나는 같은 관점으로 삶을 바라본다. 우리 모두가 카드를 받는다. 어떤 이는 남들보다 좋은 카드를 받는다. 그러니 사람들은 자기가 받은 카드에만 신경이 팔려 망했다는 생각을 하기 십상이지만 사실 게임은 우리가 그 카드로 어떤 선택을 할 것인가, 위험을 얼마나 감수할 것인가, 어떤 결과를 받아들일 것인가에 달려 있다. 주어진 상황에서 지속적으로 최선의 선택을 하는 사람이 결국엔 포커 게임의 승자가 된다. ***삶도 마찬가지다. 최고의 카드를 받은 사람만이 승자가 된다는 법은 없다.***

사회 부적응자를 최고의 석학으로 만든 선택

윌리엄 제임스에게는 문제가 있었다. 그것도 아주 심각한 문제가. 제임스는 부유하고 명망 있는 가문에서 태어났지만, 날 때부터 생명을 위협하는 병마에 시달렸다. 어린 시절에는 일시적으로 눈이 안 보인 적도 있고, 심각한 위장 장애로 구토하는 일이 잦아 음식을 신중히 가려 먹어야 했다. 청각에도 문제가 있었고, 허리에 경련이 일어나면 며칠 동안은 똑바로 앉거나 서지도 못했다.

건강 탓에 제임스는 대부분의 시간을 집에서 보냈다. 친구가 별로 없었고 학교에서 특출한 학생도 아니었다. 대신 그림을 그리며 하루를 보냈다. 제임스가 유일하게 좋아하고 잘한다고 느끼는 게 그림 그리기였다. 그러나 유감스럽게도 다른 사람들은 제임스가 그림을 잘 그린다고 생각하지 않았다. 성인이 되었을 때 그림을 팔아보려고 했지만 아무도 그의 작품을 사지 않았다. 그렇게 시간만 축내고 있자, 부유한 사업가인 아버지는 그의 게으름과 무능함을 비웃기 시작했다.

그 사이 남동생 헨리 제임스는 세계적인 소설가의 반열에 들어섰고, 여동생 앨리스 제임스도 훌륭한 작가가 되었다. 윌리엄은 집안의 애물단지이자 천덕꾸러기였다. 물에 빠진 사람이 지푸라기라도 잡는 심정으로, 아버지는 사업상의 인맥을 동원해 제임스를 하버드 의대에 입학시켰다. 이번이 마지막 기회라는 말을 남기며. 이 기회를 살리지 못하면 제임스는 끝장이었다.

하지만 제임스는 하버드에 전혀 적응하지 못했다. 의학은 그에게 맞지 않았다. 제임스는 줄곧 사기꾼이 된 느낌에 시달렸다. 자기 문제도 극복하지 못하면서 어떻게 다른 사람의 문제를 해결하다고 나설 수 있는가? 어느 날 정신과 병동을 둘러본 뒤, 제임스는 일기에 자신이 의사보다는 환자를 닮았다고 적었다. 몇 년 뒤 제임스는 의대를 그만둠으로써 또다시 아버지의 기대를 저버렸다.

하지만 아버지의 분노를 감당하는 대신 도피하기로 마음먹은 그는 인류학 탐험대에 합류해 아마존 열대 우림으로 향했다. 1860년대 당시에 대륙을 건넌다는 건 어렵고도 위험한 일이었다. 생존을 위협하는 전염병과 익사하는 소떼들이 가득한 서바이벌 게임 같았다.

아무튼, 제임스는 아마존으로 향했고, 진정한 모험이 그곳에서 그를 기다리고 있었다. 놀랍게도 그의 연약한 육체는 험난한 여정을 꿋꿋이 견뎌냈다. 하지만 마침내 목적지에 당도해 탐험을 시작하려는 찰나, 제임스는 천연두에 걸려 정글에서 생을 마감할 뻔했다. 곧이어 허리 경련이 재발해 걷기조차 힘든 지경에 이르렀다. 제임스는 천연두로 바싹 여위고 허리 통증 때문에 거동이 힘든 상태로 남아메리카 한복판에 홀로 남겨졌다. (탐험대는 그를 내버려둔 채 걸음을 재촉했다.) 집으로 갈 길이 막막했다. 몇 달은 걸릴 텐데 도중에 죽을 수도 있었다.

하지만 제임스는 용케 뉴잉글랜드로 돌아왔고, 아버지는 고개를 절레절레 흔들며 그를 맞이했다. 이제 나이가 서른에 가까웠지만, 여전히 직업이 없었고, 하는 일마다 실패했으며, 시시때때로 발목을 잡는 건강은 나아질 기미를 보이지 않았다. 좋은 환경에서 태어나 많은 기회가 있었지만 모든 것이 무너져 내렸다. 그의 삶에서 변하지 않는 것은 고통과 실망뿐인 듯했다. 제임스는 깊은 우울증에 빠져 스스로 목숨을 끊으려 했다.

그러나 어느 날 밤, 철학자 찰스 퍼스의 강의록을 읽던 제임스는 작은 실험을 해보기로 마음먹었다. 그날부터 1년 동안 *내 삶에서 일어나는 일은 뭐든 100% 내 책임*이라고 믿으며 살아보겠다는 다짐을 일기에 적었다. 이 기간만큼은 실패에 대한 생각은 제쳐둔 채 있는 힘을 다해 자신의 상황을 바꿔보기로 한 것이다. 그래도 나아지는 게 없다면, 그건 자신에게 상황을 바꿀 힘이 없다는 뜻이므로, 그때 목숨을 끊기로 했다.

결과는? 윌리엄 제임스는 미국 심리학의 아버지가 됐다. 그의 저술은 세계 각국의 언어로 번역됐으며, 그는 당대의 가장 영향력 있는 지식인이자 철학자이자 심리학자로 평가받는다. 하버드 대학교 교수가 되어 미국과 유럽 전역을 돌며 강연했다. 또한 결혼을 해 자식을 5명 낳았다(그중 헨리는 유명한 전기 작가가 되어 퓰리처상을 받았다). 후일 제임스는 자신의 작은 실험을 '부활'이라 일컬었고, 그 덕에 모든 것을 이뤄낼 수 있었다고 말했다.

여기에 단순한 깨달음이 있다. 명심하라, 외부 환경이 어떠하건 간에 내 삶에서 일어나는 일은 모두 내 책임이다. 우리한테 일어나는 일을 우리가 전부 통제할 수는 없다. 하지만 그 사건을 어떻게 해석하느냐, 그리고 거기에 어떻게 대응하느냐는 언제나 우리 마음에 달려 있다.

이걸 알건 모르건 간에, 우리는 언제나 우리 경험에 책임이 있다.

없을 수가 없다. 삶에서 맞닥뜨리는 사건을 의식적으로 해석하지 않기로 하는 것도 사건에 대한 하나의 해석이다. 사건에 대응하지 않기로 하는 것도 일종의 대응이다. 당신의 잘못이 아닌 상대방의 잘못으로 접촉사고가 난다고 해도, 거기에 어떻게 대응할지를 정하는 건 당신 책임이다.

좋든 싫든, 우리는 우리 안팎에서 일어나는 일에 언제나 적극적으로 개입한다. 언제나 매 순간, 매 사건의 의미를 해석한다. 언제나 가치를 선택해 그에 따라 살아가며, 기준을 정해 그것으로 사건을 평가한다. 때로는 어떤 기준을 택하느냐에 따라 같은 사건이 좋은 것이 될 수도 나쁜 것이 될 수도 있다.

요점은 의식적이든 아니든, *우리는 언제나 선택을 한다는 것이다. 언제나.*

인간은 어딘가에는 신경을 쓰게 되어 있다. 어떤 것에도 신경을 안 쓰는 것도 뭔가에 신경을 쓰는 것이다. 진짜 중요한 질문은 선택에 관한 것이다. 무엇에 신경 쓸 것인가? 어떤 가치에 따라 행동할 것인가? 어떤 기준으로 삶을 평가할 것인가? 그리고 좋은 가치와 좋은 기준을 선택했는가?

그 이별은 결국 내 책임이었다

××××××××

몇 년 전, 지금보다 훨씬 더 어리고 멍청했을 때, 나는 블로그에 글을 쓴 다음 마지막에 이런 글을 덧붙였다. "한 위대한 철학자는 말했다. '큰 힘에는 큰 책임이 따른다'라고" 그런데 누가 한 말인지 생각이 나지 않아서 출처를 적지 않았다. 그러자 10분 뒤, 댓글이 달렸다. "스파이더맨의 삼촌이 위대한 철학자였군."

아무튼 이건 모르는 사람이 없는, 특히 술 한 잔 들어가면 너도나도 주워섬기는 말이다. 똑똑한 척하기 좋은 명언이지만, 사실은 알게 모르게 다들 이미 알고 있는 내용을 전하는 것뿐이다. "큰 힘에는 큰 책임이 따른다."

사실이다. 하지만 이보다 더 나은 더 심오한 버전이 있는데, 명사 두 개만 맞바꾸면 된다. "큰 책임에는 큰 힘이 따른다." ***삶에 더 큰 책임감을 가질수록, 삶에 더 큰 영향력을 행사할 수 있다.*** 내 문제는 내가 책임지겠다는 자세가 문제 해결의 첫걸음이다.

전에 알던 한 남자는 자기가 여자를 못 만나는 이유가 키가 작아서라고 생각했다. 그는 사실 교양 있고, 재미있고, 잘생긴 일등 신랑감이었다. 하지만 그는 여자들이 키 작은 남자를 안 좋아한다고 확신했다. 스스로 키가 작다고 느낀 탓에 그는 여자를 만나는 데 적극적이지 않았다. 몇 차례 만나도 봤지만 상대 여성의 사소한 행동 하나하나를 그녀가 자신을 매력 없는 남자로 생각한다는 증거로 받아들인 후, 자신을 싫어하는 거라고 결론 내렸다. 알고 보면 상대방이 자신에게 호감이 있을 때조차도. 그러니 그의 연애사는 당연히 엉망진창이었다.

그가 깨닫지 못한 건 자신을 괴롭히는 '키'라는 가치를 스스로 선택했다는 점이다. 그의 상상 속에서 여성들은 오로지 키에만 매력을 느꼈다. 그러니 솟아날 구멍이 있을 리가 없었다. 그 가치를 선택함으로써 삶의 주도권을 잃고 형편없는 문제에 시달리게 됐다.

키 큰 사람을 위한 세상에서 키 작은 사람으로 살게 된 것이다. 하지만 그는 연애하는 데 훨씬 도움이 되는 다른 가치를 선택할 수도 있었다. 이를테면, '나를 있는 그대로 좋아해주는 여성을 만날 거야'라고 생각했다면, 상대의 순수한 호감을 느낄 수 있었을 것이다. 하지만 그는 이런 가치를 선택하지 않았다. 그는 자기가 어떤 가치를 받아들이고 있는지 또는 자기가 가치를 선택할 수 있다는 것조차 몰랐을 것이다. 하지만 몰랐다고 해도 자기 문제는 자기가 책임져야 한다.

책임은 자기 몫인데도 그는 계속 불평만 해댔다. 술집 바텐더에게 이런 말을 하기도 했다. "난 선택권이 없어. 할 수 있는 게 아무것도 없다고! 여자들은 절대 날 좋아하지 않아!" 하하, 형편없는 가치에 집착하는 자기연민에 빠진 머저리를 좋아하지 않는 게 전적으로 여자들 잘못이라 이거지?

많은 사람이 '내 문제는 내 책임'이라고 생각하기를 꺼리는 이유는, '내 책임이 곧 내 잘못'을 의미한다고 믿기 때문이다. 책임과 잘못이 일반적으로 붙어 다니는 건 사실이지만, 둘은 같은 게 아니다. 가령 내가 당신 차를 들이받으면, 그건 내 잘못이고 동시에 난 법적으로 당신에게 보상할 책임이 있다. 설령 우발적 사고였다 해도 내 책임이다. 사회에서 통용되는 잘못이라는 개념은, 내가 사고를 쳤으면 내가 바로잡아야 한다는 것이다. 당연히 그래야 한다.

그렇지만 내 잘못이 아닌데도 내가 책임져야 하는 문제들이 있다. 예를 들어, 어느 날 아침 현관에 갓난아이가 놓여 있다면, 그 아이가 거기 있는 건 내 잘못이 아니지만, 이제 그 아이는 내 책임이다. 어떻게 해야 할지 선택해야 한다. 최종적으로 어떤 행동을 선택하든, 내 선택과 관련한 문제가 생긴다. 그리고 거기에 책임을 져야 하는 것도 나다.

판사는 사건을 선택하지 않는다. 특정 사건에 배정되는 판사는 그 범죄를 저지르지도 목격하지도 않은 무관한 사람이지만, 그 범죄에 대해 책임을 진다. 판사는 판결을 내려야만 한다. 어떤 기준으로 해당 범죄를 심판할지 정하고, 그 기준을 확실히 집행해야 한다.

우리는 항상 '경험'을 책임지며 살아간다. 그것이 '내 잘못'으로 생긴 일이 아니라 할지라도. 이것은 삶의 일부다.

책임과 잘못이라는 개념의 차이를 이렇게 볼 수도 있다. 잘못은 과거 시제고, 책임은 현재 시제다. 잘못은 과거에 선택한 것의 결과이며, 책임은 지금 이 순간 선택하는 것들의 결과다. 당신은 이 책을 읽기를 선택하고 있다. 이 개념들을 생각하기를 선택하고 있다. 이 개념들을 받아들이거나 거부하기를 선택하고 있다. 당신이 내 발상을 설득력 없다고 생각하는 건 아마도 내 잘못일 거다. 하지만 당신이 스스로 어떤 결론을 내리는 건 당신 책임이다. 내가 이 문장을 쓰기로 선택한 건 당신 잘못이 아니다. 하지만 이 문장을 읽거나 읽지 않기로 선택한 건 당신 책임이다.

자신의 처지를 다른 사람 탓으로 돌리는 것과 자신의 상황에 실제로 책임을 지는 것은 다르다. 당신의 상황에 책임이 있는 건 다른 누구도 아닌 당신 자신이다. 당신의 불행을 다른 사람 탓으로 돌릴 수도 있겠지만, 불행을 책임질 사람은 오로지 당신뿐이다. 왜냐면 살면서 맞닥뜨리는 사건을 어떻게 바라보고, 어떻게 대응하고, 어떻게 평가할 것인지를 선택하는 건 언제나 당신이기 때문이다. 경험을 평가할 기준을 선택하는 건 언제나 당신이다.

내 첫 여자친구는 날 하루아침에 차버렸다. 그녀는 자신의 선생님과 바람을 피웠다. 정말 굉장했다. 어느 정도였냐면, 마치 주먹으로 복부를 253번쯤 얻어맞은 것 같았다. 엎친 데 덮친 격으로, 내가 이 문제를 터놓고 얘기하자마자 그녀는 날 버리고 그에게로 갔다. 함께했던 3년이란 시간이 화장실 변기 물 내리듯 사라졌다. 그 뒤로 몇 달 동안 난 꼴이 말이 아니었다. 그건 예상할 만한 일이었다. 하지만 거기에 그치지 않고 난 내 불행을 그녀의 책임으로 돌렸다. 그래봤자 나아지는 건 없었다. 오히려 더 비참해질 뿐이었다. 난 그녀를 잡을 수 없었다. 아무리 전화하고, 소리 지르고, 돌아오라고 애원하고, 불쑥 집으로 찾아가고, 전남친이 으레 하는 별별 미친 짓거리를 다 해도, 그녀의 마음을 되돌릴 수는 없었다. 내 아픈 가슴을 그녀의 탓으로 돌리려 했지만, 그건 결코 그녀의 책임이 아니었다. 내 책임이었다.

눈물과 술을 한 바가지씩 쏟고 들이붓고 나서야 어느 순간 생각이 바뀌기 시작했다. 그녀가 내게 몹쓸 짓을 한 건 사실이니 그녀의 잘못을 탓할 이유야 충분하지만, 지금 내 행복을 되찾는 건 오롯이 내 책임이었다. 그녀가 '짠!' 하고 나타나서 내 문제를 해결해 줄 리는 절대 없었다. 내 문제는 내가 해결해야 했다. 생각이 바뀌자 상황도 바뀌었다. 난 먼저 생활 방식을 개선했다. 운동을 시작하고 그동안 소홀히 대했던 친구들을 만나 시간을 보냈다. 일부러 새로운 사람들을 만났다. 외국을 여행하며 많은 것을 배웠고, 자원 봉사도 했다. 그러자 점차 기분이 나아졌다.

그래도 그녀가 내게 한 짓을 떠올리면 화가 났다. 하지만 이제 적어도 내 감정은 내가 책임지기로 함으로써, 더 나은 가치를 선택하게 된 것이었다. 다시 말해, 그녀가 망친 관계를 되돌리기 위한 가치가 아니라, 나 자신을 돌보고 나 자신에게 만족하기 위한 가치를 선택한 것이다. (그런데 '내 감정을 그녀 책임으로 돌린 것'이 애초에 그녀가 나를 떠난 이유였을 것이다. 자세한 내용은 다른 장에서 부연하겠다.)

약 1년 후, 좀 웃긴 일이 생겼다. 우리 관계를 돌이켜보니, 전에는 몰랐던 문제가, 그러니까 내 잘못이며 내가 손쓸 수도 있었을 문제가 눈에 밟히기 시작했던 것이다. 내가 좋은 남자친구가 아니었다는 생각이 들었다. 그리고 곁에 애인이 있는데 뭔가에 홀린 듯 바람을 피우는 일은 기존의 관계에서 행복감을 느끼지 못할 때 일어난다는 걸 알게 되었다.

그녀를 용서한다는 건 결코 아니다. 하지만 내 실수를 받아들이고 나니, 내가 전에 생각했던 것처럼 무고한 피해자는 아니었다는 점을 깨닫게 되었다. 그리고 그런 형편없는 관계를 그만큼이나 오래 유지하는 데 내가 역할을 했다는 점도 깨달았다. 사귀는 사람끼리는 결국 비슷한 가치관을 공유하기 마련이다. 형편없는 데 가치를 두는 사람과 그렇게 오래 만났다면, 나와 내 가치는 어땠겠는가? 내가 어렵사리 배운 바에 의하면, 당신이 이기적이고 남에게 상처를 주는 사람과 관계를 맺고 있다면, 당신 역시 그런 사람일 가능성이 크다. 단지 깨닫지 못할 뿐이지.

지금 돌이켜보면, 그녀의 성격을 드러내는 적신호가 훤히 보이는데, 당시에는 그걸 싹 무시했다. 그건 내 잘못이다. 돌이켜보면, 내가 그녀에게 최고의 남자친구는 아니었다는 점도 명백하다. 사실 난 종종 그녀를 냉정하고 거만하게 대했다. 때로는 그녀의 사랑을 당연시했고, 바람맞히고, 상처줬다. 이것들 또한 내 잘못이다.

내 실수로 그녀의 실수를 정당화했을까? 아니. 하지만 난 같은 결과로 고통받는 일을 막기 위해, 같은 실수를 되풀이하지 않고 같은 신호를 무시하지 않을 책임을 지기로 했다. 더불어 미래에 훨씬 더 나은 여성과 만날 책임을 지기로 했다. 그리고 그런 여자를 만났다는 말을 전할 수 있어 기쁘다. 그 후로는 바람나서 날 버리는 여자친구도, 253번의 복부 강타도 더는 없었다. 난 내 문제에 책임을 지고 문제를 개선했다. 건전하지 못한 관계에 내 책임이 있다는 점을 인정한 후로 더 나은 관계를 맺을 수 있었다.

그녀가 날 떠난 사건은 내 인생에서 가장 고통스러운 경험인 동시에 가장 중요하고 영향력 있는 경험이었다. 그 사건 덕에 난 엄청나게 성장할 수 있었다. 내 수많은 성공 사례를 전부 합친 것보다 그 사건 하나에서 더 많은 걸 배웠다.

우리 모두가 성공과 행복을 책임지려 한다. 젠장, 성공과 행복이 누구 책임이냐를 놓고 다투기까지 한다. 하지만 문제를 책임지는 자세가 훨씬 더 중요하다. 그런 자세로 살아갈 때, 진정한 배움을 얻고 현실적인 발전을 이루기 때문이다. 앉아서 남을 탓해봐야 자기만 괴로울 뿐이다.

말랄라가 총에 맞서 지키려고 했던 것

정말 끔찍한 사건이 닥친다고 생각해보자. 많은 사람들이 평소에는 책임감 있게 대처할 수 있지만 정말로 끔찍한 비극이 닥치면, 사람들은 사력을 다해 책임을 회피하기에 급급하다. 세상엔 순순히 받아들이기에는 너무 고통스러운 일이 존재한다.

하지만 생각해보라. 심각한 사건이라고 해서 근본적인 진리가 달라지는 건 아니다. 가령, 당신이 도둑질을 당했다면, 그건 절대 당신 잘못이 아니다. 도둑질당하기를 선택할 사람은 아무도 없을 거다. 또 학교폭력 현장을 목격했다면, 당신은 선택을 해야만 한다. 직접 나서서 도와주건, 경찰에 신고를 하건 혹은 모른 척 지나가건 말이다. 어떻게 선택하고 반응하든 전부 당신 책임이다. 도둑질당한 건 당신 선택이 아니었을지라도 그 경험으로 인한 감정적, 심리적, (법적) 결과는 당신이 책임져야 한다.

2008년, 탈레반이 파키스탄 북동부 변경에 있는 스와트 계곡을 점령했다. 이들은 즉시 이슬람 극단주의자의 강령을 이행했다. TV와 영화를 금지했고, 여성은 남성을 동반하지 않으면 집 밖으로 나갈 수 없었으며, 여자아이는 학교에 다닐 수 없었다.

2009년, 12세의 파키스탄 소녀 말랄라 유사프자이는 학교에 다닐 수 없게 한 탈레반의 조치에 공개적으로 반대했다. 그녀는 자신과 아버지의 목숨을 걸고 학교에 계속 다녔고, 인근 도시에서 열리는 학회에도 참석했다. 온라인에는 이런 글을 썼다. "너희 탈레반이 감히 내가 교육받을 권리를 빼앗아 가?"

말랄라는 학교 가는 버스 안에서 총에 맞았다. 그녀의 나이 고작 14세였다. 복면을 쓴 채 소총으로 무장한 탈레반 군인이 버스에 올라 물었다. "누가 말랄라냐? 말하지 않으면 다 쏴버리겠다." 그녀는 신원을 밝혔고(정말 놀라운 선택이다), 군인은 다른 승객이 보는 앞에서 말랄라의 머리에 총을 쐈다. 말랄라는 혼수상태에 빠져 사경을 헤맸다. 탈레반은 혹시라도 그녀가 살아난다면, 그녀와 아버지를 모두 죽일 거라고 공언했다.

그녀는 오늘날까지 살아 있다. 그리고 여전히 이슬람 국가가 여성에게 자행하는 폭력과 억압에 반대하는 목소리를 내고 있다. 베스트셀러 작가이기도 하며, 2014년에는 노벨 평화상을 받았다. 머리에 총을 맞은 사건으로 그녀는 더 많은 지지자들과 더 큰 용기를 얻었다. 침대에 누워 '난 아무것도 할 수 없어'라거나 '난 선택권이 없어'라고 말할 법한 상황에서, 그녀는 정반대를 택했다.

몇 년 전, 이런 이야기를 블로그에 올리자 한 남성이 댓글을 남겼다. 그는 나를 깊이 없고 천박한 사람으로 판단했으며, 내가 진정한 인생의 의미와 책임감에 대해 모른다고 일갈했다. 그는 또 내가 진정한 고통이 무엇인지 모른다고 비난했다. 그의 아들이 최근에 자동차 사고로 죽었는데, 내 주장에 따르면 아들의 죽음으로 인한 고통이 자신의 책임이 되는 것 아니냐는 말이었다.

이 남성이 엄청난 고통을 겪었다는 건 분명하다. 보통 사람은 그 정도로 심한 고통은 모른 채로 살아간다. 아들의 죽음은 그의 선택도 그의 잘못도 아니었다. 상실감에 대처할 책임은 그의 몫이었지만, 그건 절대로 그가 원하던 바가 아니었다. 그럼에도 자신의 감정과 믿음, 행동에 대한 책임은 그에게 있었다. 아들의 죽음에 어떻게 대응할지는 그의 선택에 달렸다. 누구나 의지와 무관하게 이런저런 고통을 겪게 마련이지만, 그것의 의미를 선택하는 건 우리다. 그가 자신에겐 선택권이 없고 그저 아들을 다시 보는 게 소원이라고 말할 때조차, 그는 고통을 활용하는 여러 방법 중 하나를 선택하고 있었다.

물론 그에게 이런 말을 하지는 않았다. 난 정신이 없었다. 분수도 모르고 아무 말이나 되는대로 지껄이고 있는 건 아닌가 싶어 겁이 났다. 내가 하는 일에는 그런 위험성이 있다. 그게 내가 선택한 문제이자 내가 책임져야 할 문제였다.

처음엔 그냥 기분이 나빴지만 곧 화가 치밀어 올랐다. 따지고 보면, 그의 반론은 내가 한 말과 거의 관련이 없었다. 황당했다. 자식의 죽음을 경험해보지 않은 사람은 끔찍한 고통을 모른다니. 이게 말이 되는가?

하지만 난 내가 했던 조언대로, 문제를 선택했다. 내가 당신보다 더 괴롭다며 그와 고통 배틀을 벌이는 데 열을 올릴 수도 있었지만, 그건 상대의 감정을 무시하는 몰상식한 짓이었다. 나에겐 이보다 더 나은 문제를 선택할 여지가 있었다. 이를테면, 참을성을 기르고, 독자를 더 깊이 이해하고, 앞으로 고통과 트라우마에 관한 글을 쓸 때마다 그를 떠올리는 것 말이다. 그리고 난 후자를 선택해 노력을 기울였다.

난 아들을 잃어서 상심이 크시겠다는 말을 남기는 선에서 이 일을 매듭지었다. 달리 무슨 말을 할 수 있겠는가?

어떤 패는 태어날 때부터 주어진다

2013년, BBC는 강박장애(OCD)가 있는 10대 6명이 원치 않는 생각과 반복적인 행동을 극복하기 위해 집중 치료를 받는 장면을 카메라에 담았다.

17세 소녀 이모젠은 자신이 지나가는 바닥을 모조리 두드려 봐야 했다. 그렇게 하지 않으면 가족이 죽을 거라는 무서운 생각이 밀려들었다. 조시는 모든 일을 오른쪽과 왼쪽으로 똑같이 해야 했다. 악수를 오른손으로 한 번, 왼손으로 한 번 해야 했고, 음식도 양손으로 먹어야 했으며, 문은 양발로 통과해야 했다. 좌우가 균형을 이루지 않으면, 조시는 심각한 공황 상태에 빠졌다. 잭은 전형적인 청결 강박장애 환자로, 장갑을 끼지 않으면 외출을 하지 않았고, 항상 물을 끓여 먹었으며, 손수 준비하지 않은 불결한 음식은 입에 대지 않았다.

강박장애는 끔찍한 유전적 신경장애다. 치료가 불가능하며, 기껏해야 조절이 가능할 뿐이다. 그리고 곧 알게 되겠지만, 강박장애를 조절한다는 건 결국 가치관을 조절하는 일로 귀결된다.

정신과 의사는 먼저 아이들에게 각자의 강박적 욕구가 불완전하다는 점을 받아들이라고 했다. 가령, 이모젠은 가족이 죽을 거라는 공포에 휩싸일 때, 가족이 실제로 죽는다 해도 자기가 할 수 있는 일은 없다는 걸 받아들여야 했다. 쉽게 말해, 그녀에게 일어나는 일은 그녀의 잘못이 아니라는 사실을 받아들여야 했다. 조시는 모든 행동을 양쪽으로 해서 대칭을 맞추는 일이 실은 간헐적인 공황 상태보다 자기 삶을 더 망치고 있다는 걸 받아들여야 했다. 잭은 자신이 무슨 짓을 해도 세균의 존재와 감염을 막을 수는 없다는 사실을 받아들여야 했다.

이 단계의 목적은 자신의 가치관이 비합리적이라는 점을 아이들에게 일깨우는 것이었다. 다시 말해, 자신의 가치가 실은 자신의 것이 아니라 강박장애에 의한 것이라는 점과 그런 비합리적인 가치를 따르면서 인생을 살아갈 능력을 잃고 있다는 점을 그들에게 인식시키는 것이었다.

다음 단계는 아이들이 강박장애의 가치보다 더 중요한 가치를 선택해 거기에 집중하게 만드는 것이었다. 조시는 친구와 가족에게 장애를 숨기지 않을 가능성, 평범하고 원만하게 사회생활을 할 전망을 가치로 선택했다. 이모젠은 자신의 사고와 느낌을 통제해 다시 행복해질 수 있다는 생각을 택했다. 잭은 트라우마를 겪지 않고 집을 오랫동안 떠나 있을 능력을 택했다.

이런 새로운 가치들을 최우선순위로 둔 아이들은 집중적인 둔감화 훈련에 돌입해 이 가치들을 실행에 옮겼다. 공황이 뒤따르고 눈물이 솟았다. 잭은 무생물을 주먹으로 친 뒤 즉시 손을 씻었다. 하지만 이 다큐멘터리가 끝날 무렵엔 큰 진전이 있었다. 이모젠은 더는 바닥을 두드릴 필요가 없었다. 그녀는 말했다. "제 마음속에는 아직 괴물이 있어요. 앞으로도 쭉 거기에 있을 테죠. 하지만 점차 얌전해지고 있어요." 조시는 20~30분 정도는 좌우대칭을 맞추지 않고 행동할 수 있게 되었다. 가장 많이 좋아진 건 잭인데, 그는 식당에 있는 잔을 씻지 않고도 음료를 마실 수 있게 되었다. 잭은 그

동안 배운 점을 이렇게 요약했다. "난 이런 삶을 선택하지 않았어요. 이런 지긋지긋한 병을 선택하지 않았죠. 하지만 이 병을 안고 어떻게 살아가야 할지는 선택해야 돼요. 그래야만 하죠."

많은 사람이 자기가 선천적으로 불리하게 태어났다고 생각한다. 강박장애가 있건 키가 작건 뭐건 간에, 이들은 자기가 진짜 좋은 것은 얻지 못할 운명이라고 믿는다. 내가 할 수 있는 일은 아무것도 없다는 식으로 체념함으로써, 상황에 대한 자신의 책임을 회피한다. 이들은 생각한다. "이런 형편없는 유전자를 선택한 건 내가 아니야. 그러니까 일이 잘못돼도 내 잘못은 아니라고."

그래, 당신 잘못이 아니다. 하지만 그래도 당신 책임이다.

신경적·유전적 결함으로 인해 정신적·감정적 고통에 시달리는 이들이 있지만, 그래도 달라질 건 없다. 이들은 나쁜 패를 물려받았고, 그건 이들의 잘못이 아니다. 앞서 이야기했듯, 키가 작은 거나 도둑질당한 게 그들의 잘못이 아닌 것과 마찬가지다. 하지만 역시 책임은 자신이 져야 한다. 정신과 치료를 받든, 심리 치료를 받든, 아무것도 안 하든, 선택은 결국 자기 몫이다. 불우한 어린 시절로 고통 받는 사람들이 있다. 육체적으로, 정신적으로, 경제적으로 학대당한 사람들이 있다. 이들이 겪는 문제와 장애는 이들 탓이 아니지만, 역시 책임은 본인이 져야 한다. 문제를 헤치며 앞으로 나아갈 책임과 주어진 상황에서 할 수 있는 최선의 선택을 할 책임은 언제나 자신에게 있다.

솔직히 말해보자. 정신 질환이 있는 사람, 우울증과 자살 충동에 시달리는 사람, 홀대와 학대를 받아 온 사람, 비극이나 사랑하는 이의 죽음을 겪은 사람, 심각한 질병이나 사고나 트라우마를 견뎌 낸 사람을 전부 불러 모은다면, 이런 사람들을 전부 모아 한 방에 넣는다면, 아마도 모든 사람을 모아야 할 것이다. 살아가며 상처를 받지 않는 사람은 아무도 없기 때문이다.

물론 어떤 이는 남들보다 더 무거운 짐을 진다. 어떤 이는 끔찍하지만 합법적인 방식으로 불공평한 대우를 받는다. 이런 일들이 우리를 넘어뜨리고 발목을 잡겠지만, 각자의 상황을 각자가 책임져야 한다는 점은 결코 변하지 않는다.

할 거면 하고 말 거면 말아, '어떻게'는 필요 없어

많은 사람이 이런 말을 듣고 난 뒤, 이렇게 말할 거다. "좋아, 근데 어떻게 하라고? 내 가치관이 엉터리고, 내가 문제에 대한 책임을 죄다 회피하고 있고, 허세에 차서 세상이 내 위주로 돌아가야 한다고 생각하는 얼간이인 건 알겠어. 근데 어떻게 바꾸라는 거야?"

그렇다면, 내가 여기서 요다 흉내를 좀 내야겠다. "할 거면 하고, 말 거면 말아. '어떻게'는 필요 없어."

우리는 이미 매일같이 어디에 신경을 쓸지 선택하고 있다. 그러므로 단순히 신경을 다른 쪽으로 돌리기만 하면 변할 수 있다.

정말 단순하지만, 결코 쉽지는 않다. 그 과정에서 루저, 사기꾼, 멍청이가 된 느낌이 들기 때문이다. 긴장되고 겁날 것이다. 가까운 사람들에게 짜증을 낼 수도 있다. 이런 일들은 가치를 두고 신경을 쓸 대상을 바꾸는 일의 부작용이다. 하지만 이런 부작용을 피할 수는 없다. 단순하지만 정말, 정말 힘들다.

부작용 몇 가지를 살펴보자. 내가 장담하는데, 그동안의 확신이 흔들릴 거다. '이걸 진짜 포기해야 하나? 이게 옳은 일일까?' 수년 동안 떠받들어 온 가치관을 포기하면, 길을 잃은 느낌이 들 거다. 더는 옳고 그름을 판별할 수조차 없다는 느낌이 들 거다. 힘들겠지만, 그게 정상이다.

다음으로 망했다는 느낌이 들 거다. 이미 반평생을 기존의 가치관에 따라 살아왔는데, 뒤늦게 가치관과 기준과 행동을 모조리 바꾸고 나면, 그간 믿어왔던 옛 기준에 비추어 볼 때 자신이 영락없는 사기꾼이나 얼간이로 보일 거다. 이 역시 불편하겠지만, 마찬가지로 정상이다.

그리고 틀림없이 버림받는 일을 견뎌야 할 것이다. 살면서 맺어온 수많은 관계가 그동안 지켜온 가치관을 중심으로 형성되어 있는 상황에서, 당신이 갑자기 그걸 바꿔버린다면 어떤 일이 벌어질까? 가령, 공부가 파티보다 중요하다고, 결혼과 가정이 프리섹스보다 중요하다고, 좋아하는 일이 돈보다 중요하다고 결론 내린다면? 당신의 변절은 인간관계에 반향을 불러일으킬 것이고, 대부분의 관계가 눈앞에서 산산조각 날 것이다. 이 또한 정상이며, 마찬가지로 불쾌할 것이다.

고통스럽겠지만, 그게 다 신경을 다른 데로, 그러니까 훨씬 더 중요하고 힘을 쏟을 가치가 있는 일로 돌릴 경우에 필연적으로 생기는 일이다. 가치관을 재검토하는 과정에서 내적·외적으로 저항에 부딪힐 것이다. 무엇보다 불안을 느끼게 될 것이다. 내가 지금 뭘 잘못하고 있는 건 아닌지 궁금할 것이다. 곧 알게 되겠지만, 그건 좋은 현상이다.

6

난 매번 틀렸다.
나 자신, 친구, 당시 내 세상의 전부라 믿었던 것들.
하지만 난 매일 덜 틀린 사람으로 거듭났다.

확실한 건, 확실한 게 아무것도 없다는 사실 하나뿐

사람들은 항상 틀린다. 500년 전, 지도 제작자들은 캘리포니아가 섬이라고 믿었다. 의사들은 팔에 상처를 내 피를 흘리면 병이 낫는다고 믿었고, 과학자들은 불이 플리지스톤이라는 물질에 의해 생긴다고 믿었다. 사람들은 오줌을 얼굴에 바르면 노화를 방지할 수 있다고 믿었고, 천문학자들은 태양이 지구 주위를 돈다고 믿었다.

나 역시 그랬다. 꼬마였을 때, 난 '열등'이라는 말이 맛없는 채소 이름인 줄 알았다. 할머니 댁에 갔을 때는 화장실에 들어갔던 형이 난데없이 집 밖에서 나타나자, 창문이 있다는 건 생각도 못 한 채 형이 비밀 통로를 발견했다고 생각했다. 친구가 가족과 함께 '워싱턴 B.C.'에 다녀왔다고 했을 때는 무슨 시간 여행이라도 한 줄 알았다. 'B.C.'가 기원전을 의미한다고 생각했기 때문이다. 사실 'B.C.'는 캐나다의 지명인 브리티시컬럼비아British Columbia를 줄인 말이었고 '워싱턴'은 거기에 있는 산 이름이었다.

10대 시절, 난 아무것도 신경 쓰지 않는다고 떠벌리고 다녔지만, 사실은 엄청나게 많은 걸 신경 썼다. 남들이 내 세계를 지배하고 있었지만, 그걸 까맣게 몰랐다. 행복은 선택이 아니라 운명이라 믿었다. 사랑은 노력이 아니라 우연이라 믿었다. 멋은 스스로 찾아내는 게 아니라 남을 따라 하는 것이라 생각했다.

처음 여자친구를 사귀었을 때, 난 우리가 영원히 함께하리라 믿었다. 그리고 나중에 헤어졌을 때는 내 인생에 이런 사랑은 다시는 없을 거라고 생각했다. 그리고 다른 이와 그런 사랑을 하게 되었을 때는 사랑만으로는 만족이 되지 않는다는 느낌이 들었다. 그때 난 깨달았다. '만족'이 무엇인지는 각자가 정해야 하고, 사랑은 우리가 만들어가기 나름이라는 것을.

난 매번 틀렸다. 몽땅. 지금껏 살아오며 나 자신, 타인, 사회, 문화, 세계, 우주, 그러니까 모든 것을 완전히 잘못 생각했다. 그리고 눈 감는 그 날까지 쭉 그랬으면 좋겠다.

현재의 마크가 뒤돌아보면 과거의 마크가 착각한 점이 훤히 보이는 것처럼, 어느 날 미래의 마크가 뒤돌아보면 (이 책의 내용을 포함해) 현재의 마크가 가정하는 것에서도 비슷한 착각이 보일 것이다. 난 그렇게 되길 바란다. 왜냐면 그건 내가 성장했다는 뜻이기 때문이다.

마이클 조던은 "난 살아오면서 실패에 실패를 거듭했다. 그게 내가 성공한 이유다"라는 명언을 남겼다. 음, 난 살아오면서 오판에 오판을 거듭했다. 그게 내 삶이 개선된 이유다.

성장은 끝없는 반복 과정이다. 우리는 새로운 것을 알게 될 때 '틀린' 것에서 '옳은' 것으로 나아가는 게 아니라, 틀린 것에서 약간 덜 틀린 것으로 나아간다. 또 다른 것을 알게 되면 약간 덜 틀린 것에서 그보다 약간 덜 틀린 것으로 나아간다. 이 과정이 반복된다. 우리는 끊임없이 진리와 완성을 향해 나아가지만 실제로 거기에 도달하지는 못한다.

결정적인 '정답'을 구할 게 아니라, 오늘 틀린 점을 조금 깎아내 내일은 조금 덜 틀리고자 해야 한다. 이런 관점에서 보면, 개인의 성장은 상당히 과학적이라고 할 수 있다. 요컨대, 우리가 받아들이는 가치가 가설이다. 즉 이런 행동은 좋고 중요하지만 저런 행동은 그렇지 않다는 판단이 가설이다. 그리고 우리는 행동으로 그것을 실험한다. 다시 말해, 그 가치에 따라 행동했을 때 나타나는 감정과 사고방식이 실험 자료가 되는 것이다.

정설이나 이념 따위는 없다. 경험을 통해 각자 옳은 것을 찾아갈 뿐이며, 경험을 통해 얻는 것조차도 어느 정도는 틀릴 것이다. 당신과 나를 비롯한 모든 사람의 욕구, 개인사, 생활환경이 다 다르다. 그러므로 '인생이란 무엇인가, 그리고 인생을 어떻게 살아야 하는가'라는 질문에 대한 답도 각자 다를 수밖에 없다. 내 답에는 몇 년 동안 혼자 이곳저곳 여행하기, 잘 알려지지 않은 곳을 찾아 살아보기, 방귀를 뿡 끼고 껄껄 웃기가 있다. 적어도 지금까지는 그렇다. 내가 변화하고 발전하면 답도 변화하고 발전할 것이다. 난 나이가 들고 경험을 쌓는 과정에서 틀린 점을 조금씩 덜어내 *매일 매일 덜 틀린 사람으로 거듭날 것이다.*

수많은 이들이 자신의 삶이 '옳아야 한다'는 생각에 지나치게 집착하는 탓에 오히려 삶을 제대로 살지 못한다. 어떤 여성은 애인을 만들고 싶어 하면서도 정작 집 밖으로 나가 사람을 만나볼 생각은 하지 않는다. 어떤 남성은 뼈 빠지게 일하며 자기는 승진할 자격이 있다고 생각하면서도 상사 앞에서 승진시켜달라는 말을 꺼내지 못한다.

이들이 이렇게 행동하는 건, 꼭 실패가 두려워서 혹은 거절당하는 게 두려워서가 아니다. 물론, 거절당하거나 실패하면 괴롭고 속상하다. 하지만 이들이 집착하는 건 '확실성'이다. 다시 말해 이미 오랫동안 자신의 삶에 의미를 가져다 준 가치를 의심하거나 놓아 버리기가 겁나는 것이다. 위의 남성이 승진을 요구하지 못하는 이유는, 그러기 위해서는 '자신의 업무 능력에 대한 본인의 믿음'을 정면으로 마주해야 하기 때문이다. 위의 여성이 데이트를 하지 못하는 이유 역시 마찬가지다. 자신이 '누군가를 만나기 위해 애써야 하는 상황'을 마주해야 하기 때문이다. 여성은 그 상황이 비참하다는 자신의 믿음을 맞닥뜨려야 하는 것이다. 차라리 아무도 내 매력을 몰라준다고 믿거나 아무도 내 재능을 몰라준다고 믿는 편이 훨씬 편하다. 실제로 자신의 믿음을 시험하고 확인하는 것보다는 말이다. 그래서 대부분의 사람들은 차라리 확신에 안주하기를 택한다. '난 매력이 없으니까 할 수 없어.' '상사가 어리석은데 어쩌겠어.' 이렇게 믿으면 당장은 어느 정도 위안을 얻을 수 있지만, 결국엔 그 대가로 더 큰 행복과 성공을 놓치게 된다.

길게 보면 이건 형편없는 전략이다. 그럼에도 사람들이 거기에 매달리는 건 자기 생각이 옳다고 가정하기 때문이다. 다시 말해, '어떤 일이 일어날지 난 이미 알고 있다'고 가정하기 때문이다. 즉 이야기의 결말을 확신하는 것이다.

확신은 성장의 적이다. 사건이 실제로 일어나기 전까지 확실한 건 아무것도 없다. 실제로 일어난 사건조차도 논쟁의 여지는 있다. 그러므로 우리가 선택하는 가치관이 필연적으로 불완전하다는 점을 받아들여야만 성장할 수 있다.

확실성을 추구할 게 아니라, 끊임없이 의심하는 습관을 들여야 한다. 자신의 느낌과 믿음을 의심해야 한다. 확신을 추구하는 자세를 버린 뒤, 스스로 미래를 일구지 않는다면 내 앞날이 어떻게 될지 질문해야 한다. 항상 내가 옳기만을 바랄 게 아니라, 내가 어떻게 틀렸는지를 따져 봐야 한다. 우리는 항상 틀리기 때문이다.

틀리면 변화할 수 있다. 틀리면 성장할 수 있다. 감기를 치료하기 위해 팔을 째거나 회춘하기 위해 오줌을 얼굴에 끼얹는 걸 말하는 게 아니다. '열등'이라는 말을 채소로 오해하고 아무것도 신경 쓰지 않는 걸 뜻하는 게 아니다.

여기 묘한 진리가 있다. 사실 우리는 어떤 경험이 긍정적인 것인지 부정적인 것인지 그 순간에는 모른다는 점이다. 때로 인생에서 가장 힘겹고 스트레스가 심했던 순간이 결국 인생을 결정짓고 동기를 부여하는 순간이 된다. 반대로 인생에서 가장 행복하고 기쁜 경험이 동시에 인생에서 가장 혼란스럽고 의욕을 떨어뜨리는 경험이 되기도 한다. 긍정적 경험과 부정적 경험에 관한 당신의 판단을 믿지 말라. 우리가 확실히 알 수 있는 건 그 경험이 당시에 고통스러웠는지 아닌지 뿐이다. 그런 건 별 가치가 없다.

우리가 500년 전 사람들의 삶을 돌아보며 경악하는 것처럼, 500년 후의 사람들은 오늘날 우리의 모습과 우리가 확신하는 것들을 보며 비웃을 것이다. 그들은 우리가 돈과 직업으로 삶을 규정짓는 모습을 비웃을 것이다. 아무런 자격도 없는 유명인은 떠받들면서 정작 소중한 사람은 업신여기는 행태를 비웃을 것이다. 우리의 의식과 미신, 우리의 고민과 전쟁을 비웃을 것이고, 우리의 잔인함에 혼이 빠질 것이다. 우리의 예술을 연구하고, 우리의 역사를 두고 논쟁을 벌일 것이다. 우리는 전혀 모르고 있는 우리에 관한 진리를 그들은 이해할 것이다. 그리고 그들 역시 틀릴 것이다. 단지 우리보다 덜 틀릴 뿐이다.

매 순간 거짓말을 생각해내는 사람들

이런 실험이 있다. 참가자들을 버튼이 몇 개 있는 방에 무작위로 한 명씩 넣는다. 그리고 특정 행동을 하면 점수를 얻었음을 알리는 불이 들어온다. 참가자들은 그게 어떤 행동이었는지 알아내면 된다. 그런 다음 30분 동안 점수를 얼마나 올릴 수 있는지 보겠다고 한다.

참가자들이 어떻게 행동할지 짐작이 갈 거다. 사람들은 자리에 앉아 일단 버튼을 마구 눌러댄다. 마침내 불이 들어와 점수를 얻을 때까지. 불이 들어온 다음엔 당연히 방금 했던 행동을 반복해 점수를 더 얻으려 한다. 그런데 이번엔 불이 들어오지 않는다. 그러면 더 복잡한 일련의 행동을 시험해본다. 이 버튼을 세 번 누르고 저 버튼을 한 번 누른 뒤 5초를 기다렸더니, 딩동댕! 다시 1점 획득. 그런데 어째 이 방법도 더는 안 통한다. 어쩌면 원래 버튼과는 관련이 없는지도 모른다고 사람들은 생각한다. 어쩌면 앉아 있는 자세와 관련이 있는지도 모른다. 혹시 내가 뭘 만져서? 아니면 내 발과 관련이 있나? 딩동댕! 다시 1점. 그래, 내 발 때문이었군. 이번엔 다른 버튼을 눌러보자. 딩동댕!

일반적으로, 각 참가자는 점수를 더 얻는 데 필요한 일련의 행동을 10~15분 안에 알아낸다. 그런 행동은 보통 아주 이상한 것인데, 이를테면 한 다리로 서 있기나 특정 시간 동안 누른 버튼의 긴 순서를 특정 방향을 바라보며 암기하기 등이다.

그런데 여기서 재밌는 점은, 사실 점수는 무작위로 주어진다는 것이다. 특정한 순서나 패턴 따위는 없다. 딩동댕 소리와 함께 켜지는 불과 자기가 뭘 해서 점수를 얻었다고 생각하며 재주넘기를 하는 사람만이 있다.

가학적인 구석이 있긴 하지만, 아무튼 이 실험의 핵심은 인간의 마음이 얼마나 빨리 거짓말을 생각해내고 그걸 믿을 수 있는지를 보여주는 거다. 그리고 결과에 따르면, 우리는 전부 거짓말의 달인이다. 참가자들은 하나같이 방을 나서며 자기가 실험을 파헤쳐서 게임을 이겼다고 확신했다. 이들은 자기가 일련의 버튼 순서를 '온전히' 알아내서 점수를 땄다고 믿었다.

하지만 각자가 생각해낸 방법은 그 자신만큼이나 세상에 둘도 없을 독특한 것이었다. 한 남자는 버튼을 누르는 긴 순서를 생각해냈는데, 그 순서의 의미는 오로지 그만이 알 수 있었다. 한 여자는 천장을 몇 번 두드리면 점수를 얻을 수 있다고 믿었는데, 점프를 하도 많이 해서 방을 나갈 때쯤엔 완전히 녹초가 됐다.

인간의 뇌는 의미를 산출하는 기계다. 우리가 '의미'라고 이해하는 건 우리 뇌가 2개 이상의 경험을 엮음으로써 생겨난다. 버튼을 눌렀을 때 불이 들어오는 걸 보면, 우리는 버튼을 누른 사건이 불이 들어온 사건의 원인이라고 가정한다. 이것이 의미의 기초이자 핵심이다. 버튼이면 빛, 빛이면 버튼. 어떤 의자를 봤는데 회색이 눈에 들어올 때, 우리의 뇌는 (회색이라는) 색과 (의자라는) 사물 사이에서 연관성을 끌어내 의미를 형성한다. '이 의자는 회색이다.'

우리의 마음은 쉼 없이 돌아가며 수없이 많은 연상을 쏟아내고, 그 덕에 우리는 주변 환경을 이해하고 제어할 수 있다. 내적 경험이건 외적 경험이건 간에, 경험은 예외 없이 마음속에서 연상과 연결을 만들어낸다. 지금 읽는 단어부터 그걸 해석하기 위해 사용하는 문법적 개념을 지나 내가 지루하거나 반복적인 얘기를 할 때 당신 마음이 빠져드는 추잡한 생각에 이르기까지, 이 모든 생각과 충동과 지각 하나하나가 셀 수 없이 많은 신경 연결망으로 구성되며, 이 모든 것이 한데 결합하여 마음을 빛나는 지식과 이해로 채운다.

하지만 여기에 2가지 문제가 있다. 첫째, 뇌는 불완전하다. 우리는 뭔가를 보고 들을 때 자주 착각하며, 쉽게 잊고 오판한다. 둘째, 스스로 의미를 만들어내는 순간, 우리는 그 의미에 집착하게 되어 있다. 우리는 뇌가 만든 의미 쪽으로 치우쳐 그걸 놓지 않으려 한다. 우리가 만든 의미에 모순이 있다는 증거를 발견할 때조차 그걸 무시하고 기존의 믿음을 고수한다.

코미디언 에모 필립스가 말했다. "난 뇌가 내 몸에서 가장 멋진 기관이라고 생각합니다. 그런데 방금 그 말을 하게 만든 건 누구죠?"

불행한 사실은, 우리가 알고 믿게 되는 것의 대부분이 우리 두뇌의 선천적인 부정확함과 편견의 산물이라는 것이다. 우리가 받아들이는 가치 가운데 대부분이 세상을 대표하지 못하는 사건의 소산이거나 완전히 왜곡된 과거의 결과물이다.

그래서 결론은? 우리 믿음의 대부분이 틀렸다는 것이다. 더 정확히 말하자면, 모든 믿음이 틀렸다. 어떤 믿음은 다른 믿음보다 덜 틀릴 따름이다. 인간의 마음은 오류로 가득한 난장판이다. 불편하게 들릴지도 모르겠지만, 정말 중요한 개념이니 받아들여야 한다.

'가슴이 시키는 대로'라는 엉터리 충고

1988년, 작가이자 페미니스트인 메러디스 머랜은 심리 치료를 받던 중 깜짝 놀랄 만한 사실을 깨달았다. 어린 시절 아버지에게 성적 학대를 받았던 것이다. 억압된 기억을 외면한 채 성년기의 대부분을 보냈다니, 충격이 이만저만이 아니었다. 메러디스는 37세에 아버지에게 이 일을 따지고 가족에게도 사실을 털어놓았다. 메러디스의 폭로에 가족은 경악했다. 아버지는 즉시 그런 일은 없었다며 부인했다. 누구는 메러디스 편을 들고, 누구는 아버지 편을 들었다. 가계도가 둘로 나뉘었다. 이번 사건이 있기 오래전부터 그녀와 아버지의 관계 사이에서 흐르던 고통이 가계도를 따라 퍼졌다. 가정이 파탄 났다.

시간이 흘러 1996년, 메러디스는 다시 한 번 깜짝 놀랄 만한 사실을 깨달았다. 사실은 아버지에게 학대를 받지 않았던 것이다. (어떻게 이런 일이!) 놀랍게도 순수한 의도로 만났던 심리 치료사와의 상담 과정에서 기억을 만들어냈던 것이다. 죄책감에 사로잡힌 그녀는 아버지가 살아 계신 동안 거듭 사죄하고 자초지종을 설명하며 아버지, 가족과 화해하고자 했다. 하지만 이미 엎질러진 물이었다. 아버지는 세상을 떠났고 가족은 예전으로 돌아갈 수 없었다.

그런데 메러디스만이 아니었다. 그녀가 자서전 『나의 거짓말: 거짓 기억에 관한 진짜 이야기』에서 말한 대로, 1980년대에 많은 여성이 가족에게 학대를 당했다고 주장하다가 나중에 입장을 바꿔 주장을 철회했다. 이와 비슷한 예로, 당시에 많은 사람이 아이를 학대하는 악마 숭배 집단이 있다고 주장해서 경찰이 도시 수십 곳을 조사했지만 아무런 증거도 나오지 않았다. 왜 사람들이 갑자기 가족과 사이비 종교 집단 내에서 끔찍한 학대를 당했다는 기억을 만들어낸 걸까? 왜 1980년대에 그런 일이 일어난 걸까?

어렸을 때 귓속말 놀이를 해본 적 있나? 어떤 말을 옆에 있는 친구에게 귓속말로 전달하는 놀이인데, 귓속말을 10번만 거치고 나면 마지막 친구는 처음에 한 말과는 무관한 말을 듣게 된다. 기억이 작동하는 방식도 기본적으로 이와 같다.

우리는 뭔가를 경험한다. 그리고 며칠 뒤 그걸 약간 다르게 기억한다. 귓속말을 들을 때처럼 말이다. 그리고 다른 사람에게 그 내용을 전할 때 이야기에 있는 몇몇 허점을 메우기 위해 상상력을 동원한다. 그래야 모든 게 말이 되고 자기가 제정신인 게 되니까. 그러고는 그렇게 상상으로 채워 넣은 내용을 사실로 믿어 버린 채 그걸 다시 사람들에게 전한다. 그런 식으로 우리는 사실에서 조금씩 벗어난다. 그러다가 1년 뒤 어느 날 밤 술에 취해 그 이야기를 떠들 때는 급기야 내용의 3분의 1을 꾸며내고야 만다. 그런데 다음 주에 정신이 돌아왔을 때 자기가 뻔뻔한 거짓말쟁이라는 사실을 인정하기는 싫다. 그래서 새로 개정되고 확장된 '술고래 버전'을 받아들인다. 5년 뒤, 하늘에 맹세코 사실인, 사실보다 더 사실이라 믿는 우리의 이야기는 기껏해야 50%만이 사실이다.

우리는 다 그렇다. 당신도 그렇고, 나도 그렇다. 제아무리 정직하고 선하다고 해도 사람은 늘 자신과 타인을 속이며 산다. 그리고 그건 다름 아닌 우리 두뇌가 정확성이 아니라 효율성 위주로 기능하게 만들어졌기 때문이다. 인간의 기억은 믿을 수가 없다. 너무 형편없어서 법정에서 목격자 증언이 증거로 채택되리라는 보장이 없을 정도다. 게다가 우리의 두뇌는 지독하게 편향된 방식으로 작동한다.

왜 그럴까? 두뇌는 언제나 자기가 가지고 있는 기존의 믿음과 경험에 바탕을 두고 현재의 상황을 이해하려 한다. 새로운 정보는 모조리 일단 기존 가치와 결론에 무게를 두고 저울질한다. 그 결과, 두뇌는 항상 우리가 그 순간에 참으로 여기는 방향으로 치우친다. 그래서 동생과 관계가 좋을 때는 동생에 관한 기억이 좋게만 보이지만, 관계가 나빠지면 같은 기억이 달리 보이고 심지어 동생에게 화를 낼 수 있는 방식으로 기억이 바뀌게 되는 거다. 지난 크리스마스에 받은 소중한 선물이 이제는 생색과 잘난 체의 수단으로 보인다. 호숫가 집에 날 초대하기로 한 약속을 깜빡한 일이 이제는 단순한 실수가 아니라 악의적인 무시로 보인다.

메러디스의 믿음이 기인하는 가치관을 알고 나면, 그녀가 어째서 학대 이야기를 거짓으로 꾸며냈는지 대략 이해가 간다. 우선, 메러디스는 아버지와 오랫동안 껄끄러운 관계로 지냈다. 게다가 한 번의 실패한 결혼을 포함해 남자관계에서 잇따라 실패를 경험했다. 그러니 '남자와 친밀한 관계를 맺기'는 이미 그녀의 가치관에서 간신히 말석을 차지할 뿐이었다. 1980년대 초에 메러디스는 급진적 페미니스트가 되어 아동 학대를 조사하기 시작했다. 끔찍한 학대 사례를 속속 마주쳤고, 몇 년에 걸쳐 근친상간 피해자 소녀들을 상대했다. 또한 당시에 발표된 다수의 부정확한 연구를 세상에 널리 알렸다. 그러나 나중에 밝혀진 바에 의하면, 이 연구들은 아동 성추행 사례를 엄청나게 부풀린 것이었다. (가장 유명한 연구에 따르면, 성인 여성의 3분의 1이 아동 성추행 피해자였다. 그러나 나중에 이 수치는 거짓으로 밝혀졌다.) 설상가상으로 메러디스는 근친상간 피해 여성과 사랑에 빠졌다. 이 관계는 상호의존적이고 중독적이었다. 메러디스는 계속해서 그녀를 과거의 트라우마에서 구하려 했고, 그녀는 메러디스의 사랑을 받기 위해 자신의 트라우마를 무기로 이용했다 (8장에서 이 주제와 경계를 더 깊이 다룬다). 한편 아버지와의 관계는 한층 더 악화됐고(아버지는 레즈비언 관계를 탐탁지 않게 생각했다), 메러디스는 심리 치료에 거의 강박적으로 매달렸다. 메러디스를 담당한 심리치료사들은 각자 자신의 가치와 믿음에 따라 조언을 했는데, 한결같이 메러디스가 불행한 건 일에서 스트레스를 심하게 받거나 인간관계가 잘 풀리지 않아서가 아니라고 했다. 틀림없이 뭔가 다른 좀 더 심층적인 원인이 있다고 했다.

이맘때쯤, 억압된 기억을 활용하는 치료법이 나타나 엄청나게 유행했다. 이 치료법은 의뢰인을 일종의 최면에 빠지게 한 다음, 거기서 잊어버렸던 유년시절의 기억을 찾아내 다시 경험하도록 유도하는 것이었다. 그렇게 끄집어내는 기억은 대체로 따스한 것이었지만, 이 치료법이 노리는 건 그 안에 다만 몇 개라도 존재할 트라우마였다.

자, 여기 불쌍한 메러디스가 있다. 날마다 근친상간과 아동 성추행을 조사하고, 아버지에게는 화가 나 있으며, 평생 남자관계에서 실패를 거듭해왔고, 유일하게 그녀를 이해하고 사랑해주는 사람은 근친상간 피해 여성이다. 그리고 하루걸러 소파에 누워 눈물을 쏟는데, 옆에 있는 심리 치료사는 자꾸만 기억할 수 없는 것을 기억하라고 다그친다. 보라, 결코 일어난 적 없는 학대에 관한 기억을 창조하기에 실로 완벽한 처방 아닌가.

경험을 처리할 때 우리 두뇌가 제일 우선시하는 건 새 정보를 기존의 경험, 느낌, 믿음과 일관되게 해석하는 것이다. 하지만 살다 보면 과거와 현재가 일관되지 않는 상황을 겪기 마련이다. 다시 말해, 현재 경험하고 있는 것이 과거에 이미 참으로 받아들인 것과 완전히 어긋날 때가 있다. 이런 경우, 우리 마음은 일관성을 유지하기 위해 거짓 기억을 만들어내곤 한다. '현재의 경험'을 상상을 통해 만든 과거와 짜 맞춰서 이미 '확립된 의미'를 유지하는 것이다.

앞서 언급한 바와 같이, 메러디스의 이야기는 특별한 게 아니다. 1980년대와 1990년대 초, 수많은 무고한 사람이 비슷한 상황에서 성폭력을 저질렀다는 누명을 썼고, 그중 상당수가 감옥에 갔다. 이런 도발적인 최면요법을 선정적인 대중매체가 거들었다. 이들은 실제로 성적 학대와 악마 숭배 집단의 폭력이 자행되고 있으며, 당신도 그 피해자일 수 있다고 떠들었다. 자신의 삶에 만족하지 못하는 사람들은 무의식적으로 이에 휩쓸려 기억을 날조했고, 고통스러운 자신의 처지를 합리화하기 위해 자신을 피해자로 만들어 책임을 회피했다. 억압된 기억은 이런 무의식적 욕망을 끌어내 기억의 형태로 조작하는 데도 활용됐다.

이런 과정과 이로 인한 심리 상태가 흔해지자, 사람들은 여기에 '거짓 기억 증후군'이라는 이름까지 붙였다. 법정에서도 변화가 있었으니, 수많은 심리 치료사가 고소를 당해 자격증을 잃었다. 억압된 기억 치료법은 임상에서 사라지고 다른 요법이 그 자리를 대체했다. 최근의 연구는 당시에 얻은 쓰라린 교훈을 뒷받침할 뿐이다. 우리의 믿음은 외부의 영향에 따라 쉽게 변하고, 우리의 기억은 절대 믿을 만할 것이 아니라는 사실 말이다.

"너 자신을 믿어", "가슴이 시키는 대로 해". 우리는 이런 달콤한 말을 귀에 못이 박이게 듣는다. 하지만 문제를 해결하려면 오히려 자신을 덜 믿어야 할 것 같다. 자신의 마음이 신뢰할 수 없는 것이라면, 자신의 의도와 동기를 더 많이 의심해야 하지 않겠는가? 인간이란 항상 틀리기 마련이라면, 자신의 믿음과 가정을 꼼꼼히 따져가며 자신을 의심하는 것 외에 발전하기 위한 논리적인 방법이 달리 있겠는가?

무섭고 자기 파괴적인 소리로 들릴지도 모르겠다. 하지만 사실은 그 반대다. 이쪽 길을 택하면 더 안전하고 자유롭게 살 수 있다.

그릇된 가치를 맹신한 나머지 스토커가 된 여자

내가 에린을 처음 만난 건 2008년에 열린 자기계발 세미나에서였다. 괜찮은 사람 같았다. 초자연 현상이나 뉴에이지에 관심이 좀 있어 보였지만, 아이비리그를 나온 아주 똑똑한 변호사였다. 내 농담에 곧잘 웃어주었고 내가 귀엽다고 했다. 내가 이런 기회를 놓칠 리가, 당연히 난 에린과 만났다.

한 달 뒤, 에린은 나더러 자기 집에 들어와 같이 살자고 했다. 내 집은 미국의 북쪽 끝, 에린의 집은 남쪽 끝에 있었는데 말이다. 어째 위험신호라는 느낌이 들어서 난 그녀와의 관계를 끊으려 했다. 그러자 에린은 죽어 버리겠다고 했다. 두 번째 위험신호였다. 난 즉시 이메일을 비롯한 모든 연락 수단에서 에린을 차단했다. 그러나 에린을 완전히 막을 수는 없었다.

날 만나기 몇 년 전, 에린은 자동차 사고를 당해 죽다 살았다. 농담이 아니라 정말로 의학적으로 몇 분 동안 죽었다가(모든 두뇌 활동이 정지했었다) 기적적으로 소생했다. 부활한 에린은 모든 게 달라졌다고 주장했다. 에린은 아주 영적인 사람이 되었다. 기 치료와 천사, 민간 신앙, 타로에 빠졌다. 자기에게 치유력과 타인의 감정을 읽을 수 있는 능력이 있으며, 미래를 볼 수 있다고 믿었다. 이유는 모르겠지만, 그녀는 나를 만나자마자 우리가 함께 세계를 구할 운명이라고 판단했다. 그녀의 말을 그대로 옮기자면, 우리는 죽음을 치유할 운명이었다.

내가 연락을 차단하자 에린은 새로운 이메일 주소를 만들어서 하루에도 12번은 분노의 이메일을 보냈다. 페이스북과 트위터 계정을 가짜로 만들어 나뿐만 아니라 내 주변 사람들까지 괴롭혔다. 내 것과 똑같은 홈페이지를 만든 다음, 거기에 내가 자기의 전 남자친구인데 거짓말하고 바람을 피웠으며 내가 결혼을 약속했었고 우리는 운명이라는 내용의 글을 수십 개나 올렸다. 참다못해 내가 연락을 해 홈페이지를 닫으라고 하자, 에린은 내가 캘리포니아로 가서 같이 살면 그러겠다고 했다. 그녀가 생각하는 타협이란 그런 것이었다.

그녀가 자신의 행동을 정당화하는 방법은 늘 똑같았다. 우리가 함께할 운명인데 그건 이미 신이 결정해놓은 사항이며, 한밤중에 무슨 소리가 들려 귀를 기울여보니 천사가 우리의 특별한 관계가 지구상에 영원한 평화를 가져올 신세기의 전조라고 했다는 것이다. (에린은 진짜 이렇게 말했다.)

우리가 초밥집에 함께 앉아 있을 때는 이미 에린이 이메일을 수천 통은 보낸 뒤였다. 내가 답장을 하든 말든, 내가 정중히 대하든 화를 내든, 달라지는 건 없었다. 에린의 마음과 믿음은 조금도 변하지 않았다. 그때가 벌써 7년 넘게 시달린 시점이었는데, 그 뒤로도 그랬다.

에린은 초밥집에서 내 맞은편에 앉아 자기가 죽음을 믿지 않는 이유를 설명하려 했다. 3시간째였다. 그동안 오이말이초밥을 네 줄이나 먹어치우고 사케 한 병을 혼자 비웠다. (실은, 두 번째 병도 절반은 비운 상태였다.) 화요일 오후 4시였다. 난 그녀를 초대하지 않았다. 에린이 인터넷을 통해 내 위치를 알아낸 뒤 들이닥친 터였다. 이런 일이 처음은 아니었다. 그녀는 죽음을 치유할 수 있다고 확신했으며, 또한 그러려면 내 도움이 필요하다고 확신했다. 사업상의 도움 같은 게 아니었다. 홍보에 관한 조언 같은 게 필요했다면, 그나마 괜찮았을 거다. 그런데 그런 게 아니었다. 그녀는 내가 자기 남자친구가 돼야 한다고 했다. 대체 왜? 3시간 동안 이야기를 주고받으며 사케 한 병 반을 비웠지만, 여전히 그게 확실치 않았다. 내 약혼녀도 식당에 함께 있었다. 에린은 내 약혼녀가 그 자리에 함께하는 게 중요하다고 생각했다. 자기가 나를 '기꺼이 공유할' 생각이라는 점을 알려서 (지금은 아내가 된) 내 여자친구가 겁먹지 않게 하려는 것이었다.

그녀가 작은 초밥집에서 사케를 퍼마시며 몇 시간 동안 횡설수설하던 그 날, 난 이런 생각을 했다. 에린은 자기계발 중독자다. 책과 세미나, 강좌에 수천 수만 달러를 쓴다. 그중에서 가장 정신 나간 짓은 배운 내용을 빠짐없이 그대로 실천한다는 거다. 에린은 꿈이 있다. 그리고 그걸 끈질기게 물고 늘어진다. 꿈을 마음속에 그린 다음 행동에 옮기고 거절과 실패를 견디고 일어나서 다시 시도한다. 에린의 긍정은 끝을 모른다. 또한 자신을 엄청 과대평가한다. 예를 들면, 예수가 나사로를 살린 것처럼 자기가 고양이를 살렸다고 주장할 정도다. 정말 기가 막힌다.

하지만 엉터리 가치를 받아들이고 있는 에린한테는 이런 게 전혀 문제가 되지 않는다. 그녀를 보면, 모든 걸 곧이곧대로 하는 게 반드시 올바른 행동을 뜻하지는 않는다는 걸 알 수 있다. 그녀가 절대적으로 확신하는 믿음이 하나 있다. 그걸 나한테 누누이 강조하기까지 했다. 자기의 집착이 완전히 비합리적이고 불건전하다는 걸 알고 그게 우리를 불행하게 만들고 있다는 것도 알지만, 왠지 그게 자기한테는 옳게 느껴져서 도저히 무시할 수도 멈출 수도 없다고 했다.

1990년대 중반 로이 바우마이스터는 악의 개념을 연구하기 시작했다. 그 연구는 기본적으로 나쁜 짓을 하는 사람과 그들이 그런 짓을 하는 이유를 밝히는 것이었다.

당시의 통념에 따르면, 사람들이 나쁜 짓을 하는 건 스스로를 끔찍하게 여겨서, 즉 자존감이 낮아서였다. 그러나 바우마이스터의 놀라운 발견에 의하면, 그렇지 않은 경우가 자주 있었다. 사실은 그 반대인 경우가 일반적이었다. 극악무도한 범죄자 가운데 일부는 스스로를 꽤나 만족스럽게 여겼다. 그들은 타인을 무시하고 괴롭히는 자신의 행위를 현실을 도외시한 자기 만족감을 통해 정당화했다.

다른 사람을 괴롭히는 행위가 정당하다고 느끼려면, 정의와 신념과 권리에 대한 나름의 의식이 확고부동해야만 한다. 인종차별주의자가 인종을 차별하는 건, 자기가 유전적으로 우월하다고 확신하기 때문이다. 광신도가 자폭까지 해가며 수많은 사람을 죽이는 건, 하늘에 순교자를 위한 자리가 있다고 확신하기 때문이다. 남성이 여성을 성폭행하고 학대하는 건, 여성의 몸을 짓밟을 자격이 자기한테 있다고 확신하기 때문이다. 악인은 절대 자기가 악하다고 생각하지 않는다. 외려 다른 사람들이 악하다고 생각한다.

심리학자 스탠리 밀그램은 논란의 여지가 있는 실험을 했다. 그의 이름을 따 '밀그램 실험'이라 불리는 이 실험에서, 연구자들은 '평범한' 실험 참가자들에게 다른 참가자가 규칙을 어길 때 처벌을 가하라는 지시를 내렸다. 그러자 이들은 다른 참가자를 신체적 학대에 가까운 수준까지 처벌했다. 처벌자 집단 가운데 반대 의사를 밝히거나 설명을 요구하는 사람은 거의 없었다. 대다수는 오히려 실험이라는 명목으로 자신에게 부여된 도덕적 확신을 즐기는 듯 보였다.

문제는 확신은 닿을 수 없는 목표일 뿐 아니라, 확신을 추구하다 보면 대개는 불안이 더 커지고 심각해진다는 점이다. 많은 사람이 나는 직장에서 이 정도 능력이 있다거나 이 정도 연봉을 받아야 한다고 스스로를 평가한 뒤 그걸 굳게 믿는다. 그러나 이런 확신은 약이 아니라 독이다. 이런 사람들은 동료가 먼저 승진하는 꼴을 지켜보며 자괴감, 모멸감, 모욕감을 느낀다. 아주 사소한 행동, 그러니까 남자 친구의 문자 메시지를 훔쳐보거나 남들이 나를 어떻게 생각하는지 친구에게 물어보는 것조차도 확신에 대한 걷잡을 수 없는 욕망과 불안의 결과다. 남자친구의 문자 메시지를 확인했는데 아무것도 없으면 그걸로 끝일까? 그다음엔 다른 휴대전화가 있는지 의심할 것이다. 모욕감을 이기지 못하고 직장에 가서 내가 왜 승진에서 탈락했냐고 따질 수도 있지만, 그래 봐야 직장 동료를 불신하고 그들의 설명과 태도를 두고두고 곱씹게 될 뿐이다. 그 결과 승진 기회는 더욱더 멀어질 것이다. 천생연분을 찾아 헤매봤자 퇴짜가 거듭되고, 홀로 지내는 밤이 길어지다가 결국엔 내가 뭘 잘못한 걸까라는 질문이 꼬리에 꼬리를 물고 이어질 것이다.

우리가 자기도 모르게 '나는 그럴만한 자격이 있다'고 믿으려 하는 건 이러한 불안과 깊은 절망의 순간이다. 이럴 때 우리는 목표를 달성하기 위해서라면 난 사기를 좀 쳐도 된다고, 다른 사람들은 벌을 받아 마땅하다고, 때로 폭력을 사용하더라도 난 원하는 걸 얻을 자격이 있다고 믿게 된다. 이 또한 역효과 법칙에 해당한다. 확신하려 하면 할수록, 더 불확실하고 불안해지게 되는 것이다.

그런데 그 반대 역시 참이다. 즉 불확실성과 무지를 받아들일수록, 자기가 뭘 모른다는 사실을 더욱 개의치 않게 된다. 불확실성을 받아들이면 타인을 판단하지 않아도 된다. TV나 사무실, 거리에서 누군가를 볼 때, 그에 대해 고정관념과 편견을 형성할 필요가 더는 없어진다. 또한 자신을 평가해야 할 필요도 사라진다. 우리는 자신이 사랑스러운지 아닌지 모른다. 얼마나 매력이 있는지도 모른다. 얼마나 성공할 수 있을지도 모른다. 이런 것들을 알아낼 수 있는 유일한 길은 마음을 열고 내가 그런 걸 잘 모른다는 사실을 받아들인 뒤 경험을 통해 알아가는 것이다.

불확실성은 모든 진보와 성장의 뿌리다. 옛말에 이르길, 모든 것을 안다고 믿는 사람은 아무것도 배우지 못한다고 했다. 먼저 자신의 무지를 자각하지 않으면, 아무것도 배울 수 없다. 무지를 인정할수록 배울 기회가 더 많아진다.

우리의 가치관은 불완전하다. 자신의 가치관이 완전하다고 생각하는 사람은 위험천만한 독단적 사고방식에 빠져 허세를 부리고 책임을 회피하기 십상이다. 문제를 해결하는 유일한 길은 먼저 여태까지의 행동과 믿음이 잘못되고 비효율적인 것이었다는 사실을 인정하는 것이다. 자신의 잘못을 흔쾌히 받아들여야만 진정한 변화와 성장을 이룰 수 있다.

인생의 가치관과 우선순위를 검토하고 그걸 더 나은 것으로 변화시키고자 한다면, 그에 앞서 반드시 현재의 가치관을 의심해봐야 한다. 심혈을 기울여 현재의 가치관을 분석하고, 그 안에 있는 오류와 편견을 들춰내고, 그것이 어째서 세상과 조화되지 않는지 밝혀야 한다. 이런 과정을 통해 자신의 무지를 똑바로 바라보고 그걸 인정해야 한다. 왜냐면 우리의 무지가 우리보다 더 크기 때문이다.

나에 대한 확신이란 얼마나 위험한가

파킨슨의 법칙을 들어본 적 있을 거다. 여러 형태가 있지만, 그중 한 가지만 얘기하자면, "일이란 건 마감 시간까지 늘어지는 법이다"가 있다. 머피의 법칙도 분명히 들어봤을 거다. "꼬일 수 있는 일은 꼬이게 마련이다."라는 법칙 말이다 호화로운 칵테일파티에서 누군가를 홀릴 일이 생기면, 맨슨의 회피 법칙을 흘려보라. "사람은 자기 정체성을 심각하게 위협하는 것일수록 격하게 피하려 한다."

쉽게 말하자면, 내가 나를 어떤 관점에서 바라보는지, 내가 나를 얼마나 성공 또는 실패했다고 느끼는지, 내가 나의 가치관을 얼마나 충실히 따르며 살아가고 있는지에 대한 스스로의 판단을 흔들어 놓는 것일수록 피하게 된다는 뜻이다. 내가 세상에서 어떤 위치를 차지하고 있는지 알고 나면 마음이 어느 정도 편하다. 우리는 이런 안정감을 뒤흔드는 것을 마주치면, 그게 뭐든 일단 본능적으로 두려움을 느낀다. 어쩌면 우리 삶을 더 낫게 만들어 줄지 모르는 것일지라도.

맨슨의 법칙은 인생에서 일어나는 좋은 일과 나쁜 일 모두에 적용된다. 이를테면, 백만장자가 되는 일은 빈털터리가 되는 일만큼 우리의 정체성을 위협할 수 있다. 유명 록스타가 되는 건 실직만큼이나 우리의 정체성을 위협할 수 있다. 사람들이 성공을 겁내는 이유는 실패를 겁내는 이유와 정확히 일치한다. *내가 믿고 있는 내 모습을 뒤흔들기 때문이다.*

머릿속에 있는 이야기를 시나리오로 쓰기를 피하는 건, 냉철하고 현실적인 회사원이라는 당신의 정체성에 질문을 던져야 하기 때문이다. 배우자에게 잠자리에서 색다른 시도를 해보자는 얘기를 꺼내기를 피하는 건, 점잖거나 조신한 사람이라는 정체성에 맞서야 하기 때문이다. 친구한테 절교를 선언하지 않는 건, 너그럽고 착한 사람이라는 정체성과 갈등을 빚어야 하기 때문이다. 우리가 이런 중요한 기회를 번번이 놓치는 건, 내가 바라보고 느끼는 내 모습을 이런 기회가 바꾸려 들기 때문이다. 이런 기회는 내가 선택하고 따라온 가치관을 위협한다.

내가 아는 한 친구는 자기가 그린 일러스트를 온라인에 올려서 프로미술가로 성공할 거라고 주구장창 떠들었다. 몇 년 동안 그렇게 말하며 돈을 모으고 홈페이지도 몇 개나 만들어서 작품집을 올

렸지만 프로의 세계에는 발을 들이지 못했다. 그리고 거기엔 언제나 나름의 이유가 있었다. 가령 작품의 선명도가 부족하다거나, 아직 실력이 정점에 이르지 않았다거나, 작품에 전념할 수 있는 상황이 아니라는 핑계를 댔다.

몇 년이 지나도록 그는 생업을 포기하지 않았다. 왜 그랬을까? 프로예술가로 살아가겠다는 꿈을 꾼 건 사실이다. 하지만 무명예술가로 사는 것보다 인기 없는 프로예술가가 되는 게 훨씬 두려웠기 때문이다. 적어도 무명예술가로 지내는 게 마음 편하고 익숙했기 때문이다.

파티광인 다른 친구는 매일같이 술을 마시며 여자 꽁무니를 쫓아다녔다. 한동안 쾌락에 빠져 살던 그는 어느 순간 극심한 외로움과 우울, 공허함을 느꼈다. 그래서 생활방식을 바꿔야겠다고 생각했다. 연애를 하고 안정적으로 살아가는 사람들이 몹시 부러웠다. 그러나 그는 조금도 달라지지 않았다. 밤마다 술독에 빠져 지내는 공허한 나날이 계속됐다. 그러면서 늘 변명을 늘어놓았다. 그에게도 늘 어쩔 수 없는 사정이 있었다. 파티광으로 사는 방식을 포기한다는 건 그의 정체성을 심각하게 위협하는 일이었다. 그게 그가 아는 유일한 생활 방식이었기 때문이다. 그걸 포기한다는 건 정신적 할복이나 마찬가지였다.

사람은 누구나 나름의 가치관에 따라 살아간다. 우리는 그걸 지키고 정당화하고 고집하며 살아간다. 일부러 그러지 않더라도 우리 뇌가 우리를 그렇게 만든다. 앞서 말했듯이, 불합리하게도 우리는 기존 지식과 믿음에 크게 좌우된다. 자기가 착하다고 믿는 사람은 그 믿음과 모순되는 상황을 피하게 된다. 자기가 요리를 잘한다고 믿는 사람은 그 믿음을 스스로에게 증명할 기회를 자꾸만 찾게 된다. 우위를 점하는 건 언제나 믿음이다. 먼저 자신을 보는 관점과 자신에 관한 믿음을 바꾸지 않는다면, 회피와 불안을 극복할 수 없다. 다시 말해, 변할 수 없다.

그런 의미에서 '자아를 찾아라'와 같은 말을 따르는 건 위험하다. 자신의 정체성에 대한 확신이 스스로를 특정한 역할이나 쓸데없는 기대에 옭아맬 수 있기 때문이다. 또 잠재력과 기회를 자기 발로 차버릴 수도 있다. 너 자신을 절대 알지 말라. 그래야 끊임없이 노력해 깨달음을 얻게 되며, 자신의 판단을 과신하지 않고 타인의 생각도 겸허히 받아들일 수 있다.

매일 덜 틀린 사람으로 거듭나는 법

자신에게 질문을 던져 자기 생각과 믿음을 의심해보는 건 정말 익히기 힘든 기술이다. 하지만 할 수 있다. 당신의 삶을 조금은 불확실하게 만들 몇 가지 질문이 여기 있다.

#1 내가 틀렸다면?

최근에 내 친구 에이미가 약혼을 했다. 그녀의 남편감은 건실한 남자였다. 술도 안 마시고 그녀를 못살게 구는 일도 없었다. 친절한 데다 직업도 좋았다. 그런데 약혼한 뒤부터 줄곧 에이미의 오빠가 철없는 선택을 했다며 야단을 부렸다. 그놈이랑 살면 불행할 거다, 실수한 거다, 무책임하다, 충고랍시고 별소리를 다 했다. 에이미가 "오빠, 왜 그래? 내가 결혼한다는데 왜 그렇게 짜증을 내?"라고 물으면, 그는 짜증을 내는 게 아니라 이게 다 하나뿐인 여동생이 걱정돼서 하는 말이라고 했다.

하지만 분명히 오빠는 심기가 불편했다. 아마도 쟤는 저렇게 가는데 나는 언제 결혼하지라는 불안감 때문이었을 것이다. 남매간의 경쟁심이나 질투심 때문이었는지도 모른다. 어쩌면 심각한 피해의식에 사로잡혀 있는, 타인을 괴롭혀야만 직성이 풀리는 인간이라서 그랬는지도 모른다.

일반적으로 우리는 자기 모습을 있는 그대로 보지 못한다. 자기 눈에는 화나거나 질투하거나 심란한 모습이 안 보이게 마련이다. 그걸 볼 수 있는 유일한 길은 내가 날 얼마나 오해하고 있는지 끊임없이 의심함으로써 자기 확신이라는 갑옷에 균열을 내는 것이다.

"내가 질투하고 있다고? 그런가? 왜지?" "내가 화났다고? 그렇다면, 난 자존심을 세우고 있는 것뿐인가?" 이런 질문을 습관화해야 한다. 보통은 단순히 이런 질문을 하는 것만으로도 삶의 여러 문제를 해결하는 데 도움이 되는 겸손과 연민을 배울 수 있다.

하지만 유념해야 할 점이 있다. 내 생각이 틀렸는지 의심해 보는 것과 실제로 내 생각이 틀린 것은 다르다. 가령 당신의 애인이 술만 먹으면 폭력적인 사람이 된다면, 그 상황에서 그가 결혼해도 괜찮을 사람인지에 대해 의심을 품는 건, 옳다. 내 말은 그때그때 질문을 던지고 생각을 해보라는 것이지, 자학을 하라는게 아니다.

명심하라. 삶에 어떤 변화가 일어나야 한다는 건, 분명히 뭔가 잘못된 게 있다는 뜻이다. 당신이 날이면 날마다 거기에 시무룩하게 앉아 있다면, 그건 당신이 이미 뭔가를 놓치고 있다는 뜻이다. 그리고 그게 무엇인지 스스로 알아내기 전까지는 아무것도 변하지 않을 것이다.

#2 내가 틀렸다는 게 무슨 의미일까?

자기가 틀렸는지를 의심해볼 수 있는 사람은 많다. 하지만 한 걸음 더 나아가 그게 의미하는 바를 받아들일 수 있는 사람은 별로 없다. 왜냐면 내가 틀렸다는 사실이 함축하는 바가 보통은 고통스러운 것이기 때문이다. 그걸 받아들이면 기존의 가치관에 의문을 제기해야 할 뿐만 아니라 그와는 모순되는 다른 가치관이 어떤 것인지도 숙고해야 한다.

아리스토텔레스가 말했다. "교육받은 사람의 특징은 어떤 생각을 받아들이지 않으면서 그에 대해 숙고해 볼 수 있다는 것이다." 다른 가치를 반드시 받아들이지는 않으면서도 그것을 검토하고 평가할 수 있는 능력은 삶을 의미 있는 방향으로 변화시키는 데 필요한 핵심 기술일 것이다.

에이미의 오빠는 스스로 이렇게 물어야 한다. "동생의 결혼에 관한 내 생각이 틀렸다면, 그건 무슨 뜻이지?" 답은 뻔하다. "난 이기적이고 불안정하고 자아도취에 빠진 머저리구나." 그의 생각이 틀렸고 동생은 행복하고 건전한 약혼을 한 것이라면, 사실상 그의 심리적 불안과 엉터리 가치관 외에는 그의 행동을 설명할 방법이 없다. 그는 자기가 동생을 위한 최선이 무엇인지 안다고 믿었으며, 동생은 인생의 중요한 일을 스스로 결정할 능력이 없다고 생각했다. 또 동생을 대신해 결정을 내릴 권리와 책임이 있다고 믿었으며, 자기 생각이 맞고 다른 사람들의 생각은 다 틀렸다고 확신했다.

이런 종류의 허세는 까발려진 뒤에도 인정하기가 쉽지 않다. 그건 우리 모두가 마찬가지다. 아프기 때문이다. 그래서 이런 곤란한 질문을 하는 사람은 많지 않다. 하지만 그와 우리를 등신처럼 행동하게 몰아가는 핵심 문제에 닿으려면, 진실을 캐기 위한 질문을 던지는 게 필수다.

#3 내가 틀렸다는 걸 인정하면, 현재의 문제가 어떻게 바뀔까?

이건 일종의 리트머스 시험지다. 이를 통해 내가 건전한 가치관에 따라 살아가는 사람인지, 아니면 신경과민에 시달리며 자신을 포함한 모든 사람에게 화풀이를 해대는 얼간이인지 판별할 수 있다.

이 질문의 목표는 어느 문제가 더 나은지 알아내는 거다. 실망 판다가 말했듯이, 살아가다 보면 문제가 끝없이 생기기 때문이다.

에이미의 오빠에겐 어떤 선택지가 있을까?

A 가족을 배경으로 막장 드라마를 써 내려가며 행복의 정의를 뒤흔들고, 서로 신뢰하고 존중하던 여동생과의 관계를 망친다. 그렇게 하는 이유는 그저 저놈은 내 여동생과 어울리지 않는다는 예감 또는 직관이 전부다.

B 여동생이 어떻게 살아야 하는지를 과연 자기가 결정할 수 있는

지 의심한다. 겸손한 자세로 여동생이 충분히 자기 삶을 결정할 수 있다고 믿는다. 설령 믿음이 가지 않더라도, 사랑하는 마음으로 여동생의 결정을 받아들이고 존중한다.

대부분의 사람이 A를 선택한다. 그게 쉬우니까. 깊이 생각하거나 재고할 필요도 없고, 맘에 들지 않는 다른 사람의 결정을 받아들여야 할 일도 없다. 그러나 A는 사건에 관련된 모두를 몹시 불행하게 만든다.

신뢰와 존중을 바탕으로 건전하고 행복한 관계를 유지하게 해주는 건 B다. 겸손함을 잃지 않고 무지를 인정하게 해주는 것도 B다. 불안을 넘어서서 성장하게 해주고, 충동적이거나 교활하거나 이기적으로 굴 때를 인식하게 해주는 것 역시 B다. 그러나 B를 선택하면 힘들고 고통스럽다. 그래서 대부분의 사람이 B를 선택하지 않는다.

에이미의 오빠는 그녀의 약혼에 반대할 때, 자신과의 가상 대결에 돌입했다. 물론 그는 자기가 동생을 보호하려 한다고 믿었다. 하지만 앞서 보았듯이, 우리의 믿음은 자의적인 것이다. 심지어 어떤 믿음은 우리가 이미 선택한 가치와 기준을 정당화하기 위해 나중에 만들어진다. 까놓고 얘기하자면, 그는 자기 생각이 틀렸을 가능성을 고려하기보다 차라리 동생과의 관계를 망치는 편을 택했다. 전자를 택하면 애초에 그가 잘못된 생각을 하게 만든 불안을 떨치는 데 도움이 되었을 텐데도 말이다.

난 되도록 적은 원칙을 따르며 살아가려 노력하는데, 그중 하나가 이거다. 맛이 간 게 나 아니면 나를 제외한 전부 둘 중 하나일 때는, 내가 맛이 갔을 가능성이 아주아주 크다. 난 경험을 통해 이걸 배웠다. 난 불안과 엉터리 확신에 휘둘려 수도 없이 헛짓거리를 벌이는 얼간이였다. 젠장.

물론 다른 사람들이 늘 옳다는 건 아니다. 다른 사람들이 틀리고 당신이 옳을 때도 있다. 내가 보여주려는 건 평범한 현실이다. 당신과 세상이 대결하는 느낌이 든다면, 실제로는 당신과 당신 자신이 대결하는 게 현실일 가능성이 크다.

7

실패했다고 괴로워하지 마

"난 살아오면서 실패에 실패를 거듭했다.
그것이 내가 성공한 이유다."

– 마이클 조던

잃을 게 없어서 두려운 게 없었다

나는 운이 좋았다. 2007년 대학을 졸업하자마자 때마침 금융위기가 닥쳐 경제가 80여 년 만에 최악으로 치달았고, 나는 그런 상황에서 취업 전선에 뛰어들어야 했다. 게다가 그때, 월세 아파트에서 함께 살던 세입자 중 한 명이 3개월 동안 월세를 한 푼도 안 냈다는 사실을 알게 됐다. 어떻게 된 일이냐고 따지자 그녀는 한바탕 악을 쓰더니 종적을 감춰버렸다. 나와 다른 세입자에게 모든 걸 떠넘긴 채로. 난 그 뒤로 6개월 동안 친구네 소파에서 신세를 졌다. 이곳저곳을 전전하며 '진짜 직업'을 찾을 때까지 빚을 되도록 적게 지려고 안간힘을 썼다.

내가 운이 좋았던 이유는, 이미 망한 상태로 어른의 세계에 진입했기 때문이다. 난 바닥에서 시작했다. 세상을 좀 살아본 사람들이 가장 두려워하는 게 바로 바닥에서 다시 시작하는 것이다. 가령 새로운 사업을 시작하거나, 직업을 바꾸거나, 끔찍한 직장을 그만 두는 일 말이다. 하지만 난 사회생활의 문턱을 넘으며 이미 바닥을 쳤다. 남은 건 올라갈 일 뿐이었다. 그런 점에서 나는 행운아였다. 진심이다.

냄새나는 매트리스에서 잠을 청하고, 이번 주는 맥도날드에서 끼니를 해결할 수 있을지 없을지 알아보려고 동전을 세어야 할 때, 이력서를 20통이나 보냈는데 답장은 하나도 없을 때, 그럴 때는 블로그와 허접한 인터넷 사업을 해보자고 생각해도 별로 겁날 게 없다. 계획이 전부 수포로 돌아가고 내 글을 아무도 읽지 않는다 해도, 그냥 제자리로 돌아오면 그뿐이었다. 그러니 시도하지 않는 게 오히려 이상하지 않겠는가?

실패는 상대적인 개념이다. 만약 내가 무정부주의적 공산주의 혁명가를 꿈꿨다면, 2007년과 2008년에 깡통을 찬 일이 굉장한 성공이었을 것이다. 하지만 내 기준이 다른 사람들처럼 졸업과 동시에 그럴듯한 직장에 들어가는 것이었다면, 그건 비참한 실패였다.

나는 유복한 가정에서 돈 걱정 없이 자랐다. 그러나 우리 집은 그 돈을 문제를 해결하는 게 아니라 피하기 위해 사용했다. 역시 난 행운아였다. 이른 나이에 돈으로 사람을 평가할 수 없다는 사실을 배웠기 때문이다. 돈을 많이 벌어도 불행할 수 있고, 돈이 없어도 행복할 수 있다. 그런데 *어떻게 돈으로 나의 가치를 평가할 수 있겠는가?*

나는 돈 대신 자유와 자율이라는 가치를 받아들였다. 난 줄곧 사업가가 되고 싶다고 생각했는데, 남의 말을 따르는 게 싫었고 내 방식대로 일하고 싶었기 때문이다. 특히 인터넷 사업이 매력적이었던 건 시간과 장소에 구애받지 않고 내가 내킬 때 일할 수 있기 때문이었다.

난 스스로에게 물었다. "남부럽지 않게 돈을 벌면서 싫어하는 일을 할래? 아니면 인터넷 사업을 하면서 얼마 동안 빈털터리로

지낼래?" 생각할 것도 없이 답은 후자였다. 다시 물었다. "이걸 하다가 망해서 몇 년 뒤에 취업을 해야 한다면, 뭔가 대단한 걸 잃게 될까?" 답은 '아니'였다. 그저 경험 없는 빈털터리 실업자에서 '세 살 더 먹은' 경험 없는 빈털터리 실업자가 될 뿐이었다. 내 가치관에 따르면, 돈이 없거나 친구와 가족의 소파에서 자거나(그 뒤로도 2년은 더 그렇게 살았다) 이력서를 보냈다 허탕 치는 건 실패가 아니었다. 내가 세운 계획을 밀고 나가지 않는 게 실패였다.

피카소가 3만 장의 그림을 그릴 수 있었던 이유

노년의 파블로 피카소가 스페인의 한 카페에 앉아 냅킨에 그림을 끄적이고 있었다. 그는 무덤덤한 태도로 그때그때 자기가 그리고 싶은 걸 쓱쓱 그렸다. 10대 소년이 화장실 칸막이에 낙서를 하는 방식과 흡사했다. 하지만 그는 피카소였다. 그가 그린 낙서는 희미한 커피 얼룩 위에 수놓은 입체파 또는 인상파 작품이었다.

옆자리에서 한 여성이 그 모습을 바라보며 감탄하고 있었다. 몇 분 뒤, 커피를 다 마신 피카소는 자리를 뜨기 전에 냅킨을 구겨서 버리려 했다. 여성이 피카소를 불렀다. "잠깐만요. 제가 그 냅킨을 가져도 될까요? 사례는 해드리겠습니다." 피카소가 답했다. "물론이죠. 2만 달러입니다." 피카소가 여자에게 벽돌을 집어 던지기라도 한 듯이 여자의 머리가 덜커덕 뒤로 흔들렸다. "뭐라고요? 그리는 데 2분밖에 안 걸렸으면서." 피카소가 말했다. "아니요. 60년 넘게 걸렸습니다." 피카소는 냅킨을 주머니에 쑤셔 넣은 뒤 카페를 나갔다.

수많은 작은 실패가 모여 발전을 이룬다. 성공의 크기는 얼마나 많이 실패하느냐에 달려 있다. 어떤 사람이 뭔가를 당신보다 잘한다면, 그건 그 사람이 당신보다 그 일에서 더 많은 실패를 맛봤기 때문일 가능성이 크다. 어떤 사람이 당신보다 못하다면, 그건 그가 당신보다 배움의 고통을 덜 경험했기 때문일 가능성이 크다.

걸음마를 배우는 어린아이를 생각해보라. 수없이 넘어지고 다치지만 아이는 멈춰 서서 이렇게 생각하는 법이 없다. '이런, 걷기는 나한테 맞지 않아. 난 걷기에 소질이 없어.'

우리가 실패를 두려워 피하게 되는 건 더 자란 뒤의 일이다. 난 그 주된 원인이 교육 체계라고 생각한다. 우리의 교육 체계는 아이를 철저히 성적에 따라 판단하고, 잘하지 못하는 아이에게 벌을 준다. 고압적이거나 혼을 잘 내는 부모 탓도 크다고 생각한다. 이들은 아이들이 스스로 뭔가를 하다가 일을 망치는 꼴을 두고 보지 않으며, 새롭거나 정해지지 않은 일을 하려 들면 혼을 낸다. 마지막으로 대중 매체는 엄청난 성공담을 끊임없이 내보내지만, 정작 성공하는 데 필수적인 수천 시간의 단조로운 연습과 지루함은 보여주지 않는다.

대부분의 사람이 어느 시점이 되면 실패를 두려워하게 된다. 이때가 되면 사람들은 본능적으로 실패를 피하고 눈앞에 있는 것이나 이미 익숙한 것만을 고수한다. 이런 태도는 우리를 제한하고 억압한다. 어떤 분야에서 *진짜로 성공하려면, 실패를 기꺼이 감수해야 한다. 실패하지 않겠다는 건 성공하지 않겠다는 거나 마찬가지다.*

실패를 두려워하게 되는 건 엉터리 가치를 선택했기 때문인 경우가 많다. 예를 들어 '모두가 나를 좋아하게 만들기'라는 기준으로 나 자신을 평가한다면, 난 불안에 떨게 될 것이다. 왜냐면 실패가 내 행동이 아니라, 타인의 행동에 의해 100% 규정되기 때문이다. 이 기준은 내 통제 밖에 있다. 따라서 나의 자존감을 다른 사람의 판단에 맡기는 꼴이 된다. 반면에 '사회생활을 개선하기'를 기준으로 삼으면, 다른 사람이 나를 어떻게 대하는지와 무관하게, '타인과의 좋은 관계'라는 내 가치에 충실하게 살 수 있다. 이 경우에 내 자존감은 나 자신의 행동과 행복에 의해 결정된다.

앞서 4장에서 본 것처럼, 엉터리 가치는 우리의 통제 밖에 있는 구체적이고 외적인 목표를 포함한다. 이런 목표를 좇다 보면 엄청난 불안에 시달리게 된다. 이런 목표는 설령 성취한다 할지라도 남는 건 공허와 허탈뿐인데, 일단 달성하고 나면 더는 해결해야 할 문제가 남지 않기 때문이다.

만약 당신이 '세속적 성공'이라는 가치의 기준을 '비싼 집과 멋진 차를 구입하기'로 정한다면, 그리고 그걸 위해 20년 동안 뼈 빠지게 일한다면, 그걸 달성하자마자 당신의 기준은 아무런 쓸모가 없어진다. 그리고 곧장 중년의 위기가 닥칠 것이다. 왜냐면 당신의 삶에 동력을 불어넣던 문제가 방금 사라졌기 때문이다. 이 경우에는 성장하고 발전할 다른 기회가 주어지지 않는다.

그런데 행복을 낳는 건 제멋대로 정한 버킷리스트가 아니다. 같은 의미로 대학 졸업하기, 아파트 사기, 10킬로그램 감량하기와 같은 목표가 우리 삶에 제공할 수 있는 행복의 크기에는 한계가 있다.

단기적인 이익을 추구할 때는 이것도 도움이 되겠지만, 인생의 방향을 결정하기 위한 지침으로는 턱없이 부적합하다.

이보다 더 나은 가치는 과정을 지향한다. '정직'이라는 가치를 실현하기 위한 기준인 '타인에게 나를 솔직하게 표현하기'라는 과제에 완결 같은 건 없다. 이것은 계속해서 주의를 기울여야 하는 문제다. 모든 새로운 대화와 새로운 관계가 솔직한 표현을 하기 위한 도전이자 기회다. 이 가치는 일생 동안 끝없이 계속되는 과정이다.

피카소는 평생을 왕성하게 활동했다. 그는 90세가 넘어서까지, 죽는 날까지 그림을 그렸다. 그의 기준이 '유명해지기'나 '예술계의 부호가 되기' 혹은 '그림 1,000장 그리기'였다면 어느 순간 열정을 잃고 불안과 회의감에 무릎을 꿇었을 것이다. 또 그렇게 수십 년에 걸쳐 그림을 그리며 작품 세계를 넓혀 나갈 수도 없었을 것이다.

피카소가 노년에도 카페에 앉아 냅킨에 그림을 휘갈기며 재미를 느낄 수 있었던 이유, 그것이 바로 그가 성공한 이유다. 피카소가 중요하게 생각했던 가치는 단순하고 소박하며, 끝이 없는 것이었다. 그 가치는 바로 '꾸밈없는 표현'이었다. 그가 냅킨에 휘갈겨 그린 그림조차 가치 있는 이유는 바로 그 때문이다.

견딜 수 있는 고통을 선택하라, 그리고 견디라

어렸을 때 비디오나 오디오를 새로 사면, 나는 버튼을 전부 눌러보고 코드와 케이블을 전부 꽂았다 뺐다 해보며 어디에 써먹는 건지를 알아내곤 했다. 그러다 보면 자연스럽게 기계 전체가 어떻게 작동하는지 알게 됐기 때문에 집안에서 기계를 작동시키는 일은 늘 내 몫이었다.

여느 부모님과 다를 바 없이, 우리 부모님도 나를 신동이라고 생각했다. 설명서 없이 비디오를 조작하는 내가 부모님에게는 전기의 마술사 테슬라가 재림한 것처럼 보인 셈이다. '우리 부모님 세대는 과학기술 공포증이 있어서 그래' 하고 웃어넘길 수도 있다. 하지만 나이가 들면서 깨달은 점이 있는데, 부모님이 새 비디오를 들여놓았을 때 하는 행동을 우리도 그대로 한다는 것이다.

예컨대, 우리는 가만히 앉아 문제를 바라보며 고개를 젓는다. 그러고는 말한다. "어떡하지?" 어쩌긴, 그냥 하면 되지. 난 이런 질문을 하는 이메일을 매일같이 받는다. 한동안은 여기에 어떻게 답해야 할지 도통 알 수 없었다.

어떤 여성의 고민은 이랬다. 부모님이 자기를 의대에 보내기 위해 평생을 바쳤다고 했다. 그런데 그녀는 의대에 다니는 게 너무 싫고, 평생을 의사로 일하기는 더더욱 싫다고 했다. 그녀의 소원은 의대를 그만두는 것이었다. 하지만 도저히 거기서 벗어날 수가 없었다. 그래서 결국 일면식도 없는 나에게 이메일을 보내 유치하고 뻔한 질문을 한 것이다. "어떻게 하면 의대를 그만둘 수 있을까요?"라고. 또 다른 대학생은 조교를 짝사랑한다고 했다. 그녀의 몸짓, 웃음소리, 미소, 잡담 하나하나에 가슴이 떨린다고 했다. 그의 로맨스 소설급 이메일은 이런 질문으로 끝을 맺었다. "데이트 신청을 어떻게 해야 하죠?"

한 중년여성은 학업을 마친 다 큰 자식들이 집에서 빈둥거리며

밥을 얻어먹고 돈을 가져가면서도 자신의 사생활은 존중하지 않는다고 했다. 그녀는 자식들이 제 갈 길을 가기를 바랐다. 본인 역시 자기 삶을 찾기를 원했다. 하지만 제 손으로 자식을 밀어내는 일은 죽기보다 두려웠기에 나한테 이런 질문을 던진 것이었다. "독립하라는 말을 어떻게 하죠?"

밖에서 보면 답은 간단하다. "닥치고 그냥 해!"

그러나 안에서 보면, 즉 당사자의 입장에서 이는 도저히 이해할 수 없는 수수께끼다. 재밌는 점은 오직 당사자만 질문을 어렵게 느끼고, 그 외의 사람들은 전부 쉽다고 생각한다는 것이다.

여기서 문제가 되는 건 '고통'이다. 의대에 자퇴서를 제출하는 건 간단하고 쉬운 행동이지만, 부모님의 억장을 무너뜨리는 건 그렇지 않다. 조교에게 데이트 신청을 하는 건 말처럼 간단하지만, 부끄러움과 거절을 무릅쓰는 건 그보다 훨씬 복잡하다. 독립을 요구하는 건 당연한 일이지만, 자식을 버리는 느낌을 감수하는 건 그렇지 않다.

난 청소년기부터 사회 초년생 시절까지 사회불안 장애와 씨름했다. 낮에는 비디오게임으로 기분을 풀었고, 밤에는 술과 담배로 불안을 달랬다. 낯선 이에게 말을 거는 건 나한테 불가능한 일이었다. 특히 상대가 왠지 매력적이거나 재미있거나 인기 있거나 똑똑해 보일 때는 더 그랬다. 난 몇 년 동안 속으로 이런 질문을 되뇌며 멍하니 돌아다녔다. "어떻게 하면 처음 보는 사람한테 다가가서 말을 걸 수 있을까? 다른 사람들은 어떻게 그러는 거지?"

속으로 별별 말도 안 되는 생각을 다 했다. 이를테면 '꼭 필요한 게 아니라면 다른 사람에게 말을 걸면 안 돼'라거나 '내가 인사만 해도 여성들은 날 소름 끼치는 변태로 여길 거야'와 같은 생각 말이다. 문제는 내 감정이 내 현실을 규정했다는 것이다. 사람들이 나랑 얘기하기를 '꺼리는 것 같다는 느낌'을 사실이라고 믿어버리게 된 것이었다. 그래서 나는 끊임없이 질문했다. "어떻게 하면 처음 보는 사람한테 다가가서 말을 걸 수 있을까?"

느낌과 현실을 구분하지 못한 탓에, 나는 머릿속 세상 밖으로 나가 세상을 있는 그대로 볼 수 없었다. 사람과 사람이 아무 때고 서로 다가가 말을 건네는 단순한 현실을 볼 수 없었단 말이다.

사람들은 고통이나 분노, 슬픔을 느끼면, 만사를 제쳐두고 그런 느낌을 마비시키는 데 몰두한다. 이들의 목표는 얼른 '좋은 기분'으로 되돌아가는 것이다. 물질적인 수단을 동원하거나, 자신을 속이거나, 엉터리 가치관으로 돌아가서라도 말이다.

그러나 정작 우리가 배워야 할 것은 자신이 선택한 고통을 견디는 법이다. 새로운 가치관을 선택한다는 건 새로운 고통을 자신의 삶에 들여오는 것이다. 그 고통을 즐기고 음미하라. 두 팔을 활짝 벌려 환영하라. 그리고 고통스러워도 당신이 선택한 가치관에 따라 행동하라.

거짓말하지 않겠다. 처음엔 도저히 불가능하다고 느껴질 거다. 하지만 일단 해보라. 어찌할 바를 모르겠다는 생각이 들 거다. 하지만 앞에서 이미 얘기하지 않았나. 당신은 아무것도 모른다. 뭔가 안다고 생각할지도 모르겠지만, 사람은 자기가 지금 뭘 하고 있는지도 모른다는 게 사실이다. 그러니 잃을 게 뭐가 있겠는가?

삶은 무지와 행위로 이루어진다. 모든 삶이 다 그렇다. 이건 변치 않는 진리다. 당신이 행복하건, 방귀를 뀌어 금가루를 분출하건, 복권에 당첨돼 요트를 사건 간에, 당신은 변함없이 자기가 대체 뭘 하고 있는 건지 알지 못할 거다. 이걸 명심하라. 그리고 절대 겁내지 말라.

전쟁에서 살아남은 이들의 고백

폴란드 심리학자 카지미에시 동브로프스키는 1950년대에 제2차 세계대전의 생존자가 전쟁에서 겪은 충격적 경험에 어떻게 대처했는지를 연구했다. 전쟁 기간의 폴란드는 참상 그 자체였다. 생존자들은 대학살, 도시를 가루로 만드는 폭격, 홀로코스트, 전쟁 포로에게 행해진 고문, 가족의 죽음, 강간 등을 경험하거나 목격했다. 당시 나치가, 그리고 몇 년 뒤 소련이 그런 짓을 벌였다.

동브로프스키는 생존자를 연구하는 동안 놀랍고도 굉장한 점을 발견했다. 생존자의 상당수가 전쟁 기간에 괴롭고 충격적인 경험을 하긴 했지만, 그 경험 덕에 현재 더 책임감 있고 더 나은 사람이, 심지어 더 행복한 사람이 되었다고 말했다. 많은 이가 전쟁 전에는 자기가 지금과는 다른 사람이었다고 말했다. 가령 소중한 사람에게 감사할 줄 모르고, 게으르며, 작은 문제에 집착하고, 주어진 것을 당연히 여기는 사람이었다고 했다. 이들은 전쟁을 겪고 난 뒤, 더 자신감 있고, 감사할 줄 알며, 살면서 마주치는 자잘한 골칫거리에 동요하지 않는 사람이 되었다고 느꼈다.

이들의 경험은 분명히 끔찍한 것이었고, 생존자 자신들도 그런 경험을 해야 했던 상황을 바람직하게 여긴 건 아니었다. 많은 이가 전쟁이 할퀴고 간 상처로 여전히 정신적 고통을 받고 있었다. 하지만 일부 생존자는 전쟁의 상처를 발판 삼아 자신을 더 긍정적이고 강한 사람으로 탈바꿈시켰다.

그런데 이런 반전은 그들의 전유물이 아니다. *많은 사람이 절체절명의 위기에 몰렸을 때 오히려 위대한 성취를 이뤄낸다.* 고통은 때로 우리를 다시 일어서게 해준다. 더 강한 사람으로, 더 현실적인 사람으로 만들어준다. 이를테면, 암과의 사투에서 승리한 많은 사람이 전보다 더 강해진 느낌이 들고 전보다 더 감사할 줄 알게 되었다고 말한다. 또 많은 군인이 교전 지역의 위험한 환경을 견뎌낸 뒤 정신력이 강해졌다고 말한다.

동브로프스키에 따르면, 공포와 불안과 슬픔이라는 고통은 정신 건강에 해롭기만 한 게 아니라, 오히려 정신적 성장에 필수적이다. 그러므로 고통을 부정하는 건 곧 자신의 잠재력을 부정하는 것이다. 육체적 고통을 겪어야 뼈와 근육이 강해지는 것처럼, 정신적 고통을 겪어야 정신력, 자존감, 공감 능력이 강해져서 더 행복한 삶을 누릴 수 있다.

사람은 보통 최악의 순간을 경험한 뒤에야 인생을 보는 관점이 확 바뀐다. 일단 극심한 고통을 겪어 봐야, 우리는 기존의 가치를 돌아보며 왜 그것이 도움이 안 되는지를 따져 본다. 우리에겐 일종의 실존적 위기가 필요하다. 그래야 객관적인 눈으로 내가 지금껏 인생의 의미를 어디에서 찾았는지를 되돌아보고, 인생의 방향을 재설정하게 된다.

이것을 '인생의 바닥을 경험하기' 또는 '실존적 위기를 겪기'라고 부를 수 있을 것 같다. 난 '똥폭풍을 헤쳐 나가기'라고 부르련다. 마음에 드는 걸로 골라라. 당신은 지금 이 순간 그런 처지에 놓여 있을 것이다. 인생에서 가장 중요한 도전에 직면해 혼란스러운 상태일 것이다. 얼마 전까지만 해도 진리라고, 정상이라고, 좋은 것이라고 생각했던 모든 것이 뒤집혔으니 그럴 만도 하다.

잘된 일이다. 그게 시작이다. 아무리 강조해도 지나치지 않다. 고통이 과정의 일부라는 점을 명심하라. 그걸 깨닫는 게 중요하다. 고통을 숨기기 위해 쾌락을 좇는다면, 허세와 망상에 가까운 긍정적 사고에 집착한다면, 잡다한 물질이나 활동에 탐닉한다면, 실제로 변화하는 데 필요한 동력을 결코 끌어낼 수 없기 때문이다.

실패를 받아들이는 법, '뭐라도 해'

2008년, 6주 동안 간신히 직장에서 버틴 뒤 나는 온라인 사업을 시작하기 위해 직장 생활을 청산했다. 당시 난 내가 뭘 하고 있는지 전혀 알지 못했다. 하지만 어차피 비참한 빈털터리가 될 거라면 일단 내 방식대로 해보자고 생각했다. 그리고 당시 내 관심사는 여자를 쫓아다니는 것이었다. 그래서 젠장, 나는 내 황당한 연애사에 관한 블로그를 운영하기로 마음먹었다.

자영업자로 새 출발을 하는 첫날, 아침에 눈을 뜨자마자 공포가 엄습했다. 노트북 앞에 앉은 나는 내 모든 결정과 그 결정에 따른 결과가 오롯이 내 책임이라는 사실을 처음으로 실감했다. 웹 디자인, 인터넷 마케팅, 검색 엔진 최적화를 비롯한 난해한 주제를 공부하는 게 모두 내 몫이었다. 모든 게 내 손에 달려 있었다. 그러나 막 직장을 때려치운, 자기가 뭘 하고 있는지도 모르는 애송이답게, 난 컴퓨터게임을 다운로드하고 일은 마치 호환마마라도 되는 것처럼 요리조리 피했다. 몇 주가 지나자 내 예금 계좌가 적자로 돌아섰다. 새 사업을 정상 궤도에 올려놓으려면 하루에 12~14시간 정도는 시간을 투자해야 했다. 그런데 그 계획을 세우는 데 도움이 된 건 뜻밖에도 고교 시절의 기억이었다.

당시 수학 선생님은 종종 이런 말을 했다. "문제가 안 풀릴 때는 가만히 앉아서 고민만 할 게 아니라 일단 애를 써봐. 뭘 어떻게 해야 할지 모를 때도 일단 무작정 애를 쓰다 보면 결국엔 머릿속에서 좋은 아이디어가 떠오를 거야."

스타트업 초기에 난 매일 발버둥을 쳤지만, 어찌할 바를 몰랐고 결과가 안 좋을까 봐 (또는 아무 결과가 없을까 봐) 두려웠다. 그때 내 마음 깊은 곳에서 선생님의 조언이 내게 손짓했다. 그건 마치 주문과도 같았다.

"그렇게 가만히 있지 말고, 뭐라도 해라. 그러면 답을 얻게 될 테니."

선생님의 조언에 몰두하면서 난 동기에 관해 강렬한 교훈을 얻었다. 이 교훈을 깊이 이해하는 데는 거의 8년이 걸리긴 했지만, 신상품 실패와 웃기지도 않는 조언을 전하는 칼럼, 친구네 소파에서 보내는 불편한 밤, 한도를 넘긴 예금 계좌, 아무도 읽지 않는 수만 개의 단어로 점철된 길고도 맥 빠지는 몇 달 사이에 얻은 깨달음은 내가 인생을 살며 알게 된 가장 중요한 것이었다.

행동은 동기의 결과일 뿐만 아니라, 동기를 불러일으키는 원인이기도 하다. 대부분의 사람이 어느 정도 동기가 부여될 경우에만 행동에 전념한다. 그리고 충분한 정신적 자극이 주어질 경우에만 동기를 부여받는다. 우리는 이런 단계가 일종의 연쇄반응을 일으킨다고 생각한다.

• 정신적 자극 → 동기 → 바람직한 행동

뭔가를 성취하고 싶은데 동기나 자극이 없을 때, 우리는 그냥 망했다고 생각한다. 내가 할 수 있는 건 아무것도 없다고 생각해 버린다. 먼저 마음속에서 불꽃이 일어야만 실제로 소파에서 일어나 뭔가를 할 동기를 불러일으킬 수 있다고 생각한다. 하지만 위의 3단계 반응이 그대로 끝나는 게 아니라 무한히 반복된다는 점을 알아야 한다.

• 자극 → 동기 → 행동 → 자극 → 동기 → 행동 → 무한 반복

행동이 정신적 반응과 자극을 일으키고 뒤이어 다른 행동의 동기가 된다. 이 지식을 활용해 사고방식을 다음과 같이 바꿀 수 있다.

• 행동 → 자극 → 동기

동기가 부족해서 인생을 바꿀 수 없다고 생각한다면, 뭔가를 하라. 뭐라도 말이다. 그다음 행동의 반응을 활용해서 스스로 동기를 부여하라.

난 이걸 '뭐라도 해' 원리라고 부른다. 이 원리를 활용해 사업을 일으킨 뒤로 난 이걸 나름의 문제로 고민하는 독자들에게 가르치기 시작했다. "취직은 어떻게 하는 거죠?" 또는 "사귀자는 말을 어떻게 꺼내야 하죠?"와 같은 질문을 하는 독자들에게 말이다.

1인 기업을 시작하고 나서 처음 2~3년 동안은, 별로 한 일도 없는데 몇 주가 후딱 지나가곤 했다. 그 이유는 다름 아니라 내가 일에 지나치게 부담을 느낀 나머지, 해야 할 일을 번번이 미뤄두었기 때문이다. 하지만 난 곧 깨달았다. 아주 하찮은 일일지라도 일단 뭔가를 하고 나면, 어려운 일이 금세 쉬워 보인다는 사실을. 가령, 홈페이지 전체를 새로 디자인할 일이 생기면, 난 이렇게 말했다. "좋아, 일단 당장 홈페이지 이름부터 손보자." 그런데 홈페이지 이름을 손보고 나면, 난 어느새 다른 부분을 손보고 있었다. 이걸 알기 전에는 사업 계획처럼 큰일에만 몰두했었다.

작가 팀 페리스는 70편이 넘는 소설을 쓴 소설가의 이야기를 들려준다. 어떻게 그렇게 꾸준히 작품을 쓰면서 영감과 동기를 잃지 않을 수 있냐는 질문을 받았을 때, 소설가는 이렇게 답했다. "전 하루에 쓰레기 같은 단어 200개를 쓰죠. 그게 전부입니다." 그는 쓰레기 같은 단어 200개를 쓰다 보면, 종종 쓰는 행위 자체에서 영감을 얻는다고 했다. 이걸 알기 전에는 종이에 수천 단어를 쓰곤 했다고 한다.

'뭐라도 해' 원리를 따르면, 실패가 하찮게 느껴진다. 모든 결과가 과정의 일부라고 생각하면, 앞으로 나아갈 수 있다. 성공의 기준은 그저 행동하는 것이며, 자극은 전제조건이 아니라 보상이다. 우리는 자유롭게 실패하고, 실패는 또다시 성장의 원동력이 된다.

'뭐라도 해' 원리는 우물쭈물하는 버릇을 극복하는 데 도움이 될 뿐만 아니라, 새로운 가치관을 받아들이는 데도 도움이 된다. 만약 당신이 실존적 똥폭풍의 한가운데 있어서 모든 게 무의미하게 느껴진다면, 그러니까 이제껏 자신을 평가해 온 방법이 모조리 기대에 미치지 못해 더는 어찌해야 할지 모르겠다면, 또는 여태 거짓 꿈을 좇느라 자신을 괴롭혀왔다는 깨달음을 얻었다면, 아니면 자신을 평가할 더 나은 기준이 있는 것 같은데 어떻게 해야 할지 모르겠다면, 답은 같다. 뭐라도 하라. 다른 행동을 하기 위해 할 수 있는 가장 작은 일이라도 좋다.

자기가 다른 사람들 앞에만 서면 허세로 일관하는 멍청이라는 걸 깨달았나? 그래서 타인의 생각에 공감하는 법을 배우고 싶어졌나? 그렇다면 뭐라도 하라. 단순하게 시작하라. 다른 사람의 문제에 귀를 기울이고 시간을 들여서 다른 사람을 돕는 걸 목표로 삼아라. 일단 한번 해보라. 아니면 다음에 신경 거슬리는 일이 생겼을 때, 문제의 발단을 나로 가정하겠다고 다짐하라. 일단 그렇게 해보고 결과가 어떤지 지켜보라.

때로는 그렇게만 해도 눈덩이를 굴릴 수 있을 거다. 그런 행동만으로도 계속 동기부여를 할 수 있을 것이다. 나 자신이 정신적 자극의 동기가 될 수 있으며, 동기의 원천이 될 수 있다. 행동은 언제나 손이 닿는 곳에 있다. 그저 뭐라도 하는 걸 성공의 기준으로 받아들인다면, 실패조차도 성장을 위한 밑거름이 될 것이다.

8

거절은 인생의 기술이야

당신의 인생을 의미 있게 만드는 길은
수많은 선택지를 거부하는 것이다.
한 가지에 몰입하라. 자유를 얻을 것이다.

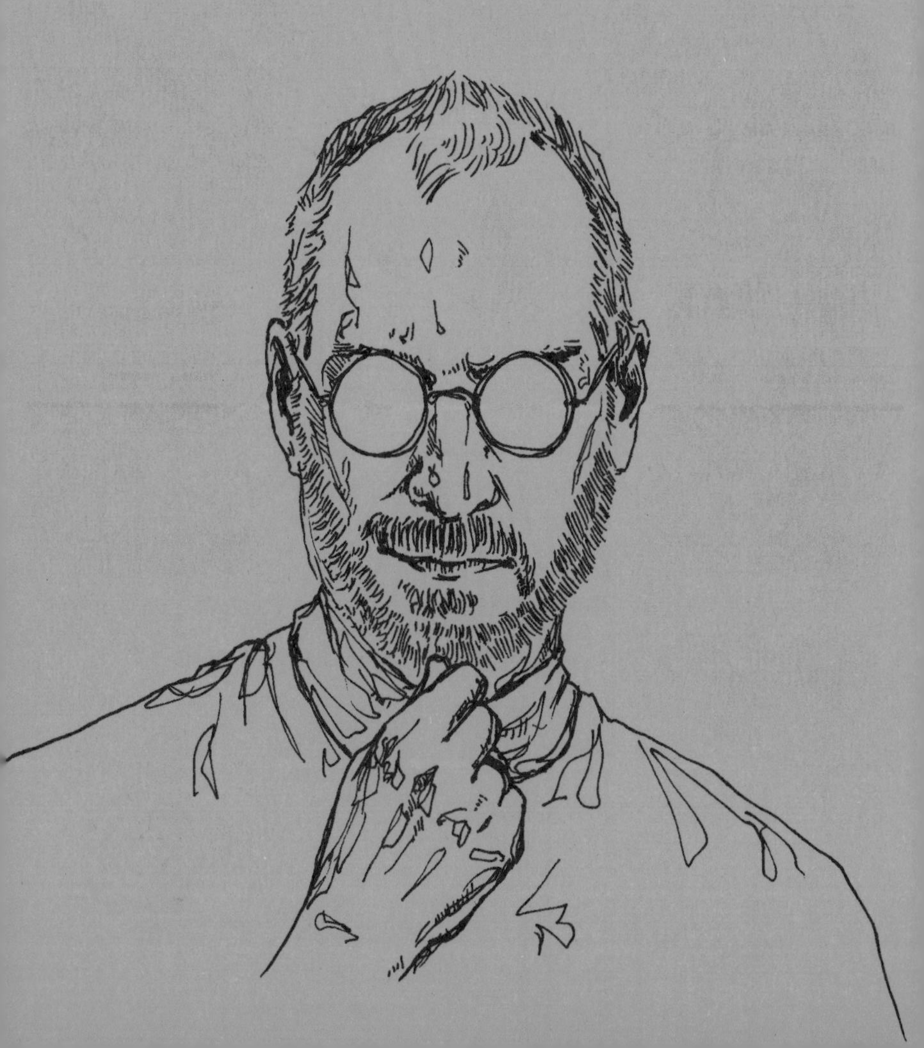

모든 걸 버리고 떠난 여행에서 깨달은 것

2009년, 나는 가진 걸 전부 팔아서 남미로 향했다. 당시 내 블로그는 방문자가 꽤 늘어난 상태였고, 난 이미 전자책과 온라인 강의를 통해 적지 않은 돈을 벌고 있었다. 내 계획은 해외에서 몇 년 동안 사는 것이었다. 새로운 문화를 경험하고, 아시아와 남미의 개발도상국에서 살며 생활비를 절약해 사업을 키울 생각이었다. 이것은 디지털 유목민의 꿈이자, 20대 중반의 모험가인 내가 인생에서 진정으로 바라는 것이었다.

흥미롭고 대담한 계획으로 보이겠지만, 사실 이런 유목민 생활을 하겠다는 결심이 꼭 건전하기만 한 가치관에서 비롯된 건 아니었다. 물론 칭찬할 만한 부분도 있었다. 세계를 구경하고자 하는 갈망, 사람들과 문화에 대한 호기심, 모험심 등등. 하지만 이 모든 것의 밑바닥에는 희미한 부끄러움이 존재했다. 당시엔 거의 인식하지 못했지만, 솔직히 말하면 마음속 어딘가에 엉터리 가치관이 도사리고 있었다. 드러나진 않았지만, 가만히 내면을 들여다볼 때면 느낄 수 있었다.

20대 초반의 허세와 마찬가지로 10대 시절의 '엿 같은 트라우마'도 내게 문제를 한 다발이나 남겼다. 몇 년 동안의 부적응과 사회불안을 과잉 보상받으려는 과정에서 난 내가 원한다면 누구라도 만나고, 친구가 되고, 사랑하고, 섹스할 수 있다고 믿게 됐다. 그러니 한 사람, 한 사회, 한 도시, 한 국가, 한 문화에만 몰입할 이유가 있겠는가? 나는 모든 걸 경험할 수 있다면, 모조리 경험해봐야 한다고 믿었다.

세계를 누비겠다는 거창한 포부로 무장한 채, 5년 넘게 여러 나라와 바다를 횡단하며 지구 위에서 땅따먹기를 했다. 55개국을 돌아다니며 수많은 친구를 만났고, 많은 여자를 만났다. 하지만 대부분 다른 나라로 가는 비행기에 앉아 있을 때쯤엔 생각도 나지 않을 만큼의 짧은 관계들이었다.

내면의 고통을 잠재우기 위한 피상적인 쾌락과, 견문을 넓혀주는 환상적인 경험으로 가득한 낯선 삶이었다. 엄청나게 심오하면서 동시에 엄청나게 무의미한 것 같다는 생각이 들었다. 이 시기의 여행을 통해서 나는 인생에서 가장 중요한 교훈을 얻었고, 내 인격을 결정짓는 순간을 경험했다. 하지만 시간과 에너지를 가장 많이 허비한 시기이기도 했다.

지금 나는 뉴욕에 산다. 집이 있고, 전기 요금을 내며, 아내가 있다. 지금의 삶에서 눈에 띄게 화려하거나 흥미로운 건 아무것도 없다. 그 점이 마음에 든다. 몇 년 동안의 신나는 모험에서 내가 얻은 가장 큰 교훈이 다음과 같기 때문이다. *완전한 자유 그 자체는, 아무 의미도 없다.*

자유는 인생을 의미 있게 만들 기회를 주지만, 그 자체로 반드시

의미가 있는 건 아니다. 궁극적으로, 한 사람의 인생을 의미 있고 중요하게 만드는 유일한 길은 수많은 선택지들을 거부하는 것이다. 즉 자유의 범위를 좁히는 것이다. 우리는 한가지를 선택해 몰입해야 한다. 하나의 장소, 하나의 믿음, 하나의 사람을 말이다.

몇 년 동안 여행을 하는 과정에서 차츰 그런 깨달음을 얻었다. 일반적으로 무절제한 행동이 나를 행복하게 만들어주지 않는다는 걸 깨달으려면, 일단 거기에 한번 푹 빠져봐야 한다. 내겐 여행이 그랬다. 53, 54, 55번째 나라에서 흥청망청 지내는 동안, 이게 신나고 굉장한 경험이긴 하지만 결국엔 덧없는 것이라는 생각이 들었다. 그 사이 고향 친구들은 자리를 잡아 결혼하고, 집을 사고, 회사일이나 정치적 이상에 몰두했다. 반면, 난 쾌락의 바다에서 허우적대고 있었다.

2011년 러시아의 상트페테르부르크를 여행했다. 음식도 최악이었고 날씨도 최악이었다. 심지어 5월에 눈까지 내렸다. 머물던 아파트도 최악이었고, 제대로 돌아가는 게 아무것도 없었다. 모든 게 터무니없이 비쌌고, 사람들은 무례하고 술 냄새를 풍겼다. 아무도 웃지 않고, 모두가 술에 취해 있었다. 그렇지만, 난 그 점이 마음에 들었다. 아주 마음에 드는 여행이었다.

서구인들의 관점에서 보면 러시아인들은 무례하다고 할 만큼 직설적이다. 이들은 짐짓 점잔을 빼거나 겉치레로 말을 번드르르하게 하는 법이 없다. 모르는 사람에게 미소 짓지 않고, 싫은 걸 좋은 척하지 않는다. 멍청하면 멍청하다고 말한다. 좋아하는 사람과 즐거운 시간을 보낼 때면, 난 널 좋아하고 지금 즐겁다고 말한다. 상대가 친구인지, 낯선 사람인지, 5분 전에 길거리에서 만난 사람인지 따위는 신경 쓰지 않는다.

처음 일주일 동안은 이 모든 게 너무나 거슬렸다. 커피숍에서 한 러시아 여성과 데이트를 했는데, 자리에 앉은 지 3분 만에 그녀는 날 뚱하게 바라보며 내 말이 하나도 재미가 없다고 했다. 난 커피를 마시다 사레가 들려 죽는 줄 알았다. 공격적인 말투가 아니라 날씨나 신발 사이즈를 말할 때처럼 일상적인 말투였지만, 난 충격을 받았다. 이런 노골적인 말을 듣는 건 서구에서는 굉장한 모욕이다. 특히 방금 만난 사람한테서는 더욱 그렇다. 하지만 러시아에서는 모두가 그런 식이었다. 모두가 항상 무례한 듯 보였다. 서구에서 온실 속 화초처럼 자란 내 마음은 무차별 공격을 받았다. 한동안 잠잠하던 불안감이 사소한 일에도 다시 고개를 들었다.

하지만 몇 주가 지나자, 자정의 일몰에 익숙해지듯, 얼음물처럼 목구멍을 넘어가는 보드카에 익숙해지듯 러시아 사람들의 솔직함에도 익숙해졌다. 그리고 그들의 솔직함이 무엇인지 깊이 이해하게 됐다. 그건 때 묻지 않은 순수한 표현이었다. 말 그대로 솔직함이었다. 어떤 조건이나 단서, 속셈, 장삿속, 사랑받으려는 절박한 욕구도 없는 의사소통이었다.

몇 년을 여행한 끝에 이런 '특별한 자유'를 처음 맛본 곳은 뜻밖에도 미국과 문화가 완전히 다른 러시아였다. 이곳에서는 생각하고 느낀 바를 아무런 거리낌 없이 말할 수 있었다. 이것은 거절을 수용함으로써 생기는 자유였다. 감정적으로 억압된 가정에서 자랐고, 솔직한 표현과 거리가 먼 허세꾼이었던 나는 평생 이런 직설적인 표현에 굶주려 있었다. 그래서 최고급 보드카에 취하듯 이 자유에 취하고 말았다. 상트페테르부르크에서 지낸 몇 달이 눈 깜빡할 새에 지나갔을 때, 난 그곳을 떠나기가 싫었다.

여행은 자기계발에 안성맞춤이다. 자기가 속한 문화의 가치관에서 벗어날 수 있고, 나와는 완전히 다른 가치관을 따르는 사회도 나름의 방식으로 조화롭게 살아갈 수 있음을 알게 되기 때문이다. 다른 문화의 가치관과 기준을 접하고 나면, 그동안 확신했던 삶의 방식을 되돌아보게 된다. 나는 러시아 여행을 통해, 늘 웃는 얼굴로 사람을 대하는 미국 백인 문화의 가식적 의사소통이, 사람 사이에 있는 불안과 거리를 오히려 더 증폭시키고 있지는 않은지 돌아보게 됐다.

하루는 이 점에 관해 러시아어 선생님과 이야기를 나누었는데, 그가 흥미로운 이론을 들려주었다. 러시아 사람들은 공산주의 체제에서 경제적 기회를 거의 얻지 못한 채, 그리고 공포 문화에 갇힌 채로 여러 세대를 살아왔다. 그 결과 사람들은 신뢰를 가장 가치 있는 통화로 여기게 됐다. 신뢰를 쌓으려면 솔직해야 한다. 즉 물건이 형편없으면, 사과할 필요 없이 그대로 형편없다고 얘기해야 한다는 말이다. 사람들이 기분 나쁠 정도로 솔직한 건 그런 태도가 생존하는 데 필수였기 때문이다. 다시 말해, 누가 믿을 만한 사람이고 누가 아닌지를 알아야 했기 때문이다. 그것도 아주 빨리.

반면에, '자유로운' 미국 사회는 경제적 기회가 아주 많아서 있는 그대로 살기보다는 거짓일지라도 자신을 어떻게든 드러내는 게 훨씬 더 가치 있는 것이 됐다. 신뢰는 그 가치를 잃었고, 겉치레와 장삿속이 더 유리한 표현 양식이 됐다. 소수의 사람을 깊이 알기보다 많은 사람을 얕게 아는 게 이로웠다. 내키지 않을 때도 미소 지으며 예의를 차리고, 생각이 다를 때도 선의의 거짓말을 하며 동의를 표하는 게 서구 사회의 문화 규범이 된 건 이 때문이다. 싫어하는 사람과도 친구인 척하고, 원치 않는 것을 받아들이는 것도 이 때문이다. 자본주의 경제 체제가 이런 기만 문화를 조장했다.

서구 사회의 이런 문화에서 부정적인 측면은 내가 지금 얘기하고 있는 사람을 전적으로 신뢰할 수 있는지 알 수 없다는 거다. 심지어 친한 친구나 가족 관계에서도 그런 일이 벌어진다. 서구 사람들은 호감 가는 사람이 되려면 때로는 상대에 따라 자기 정체성을 완전히 바꿀 줄도 알아야 한다고 생각한다.

무엇을 거부할지 선택하라. 그것이 너다

궁정주의와 소비주의 문화가 널리 퍼짐에 따라, 우리는 수용과 긍정을 내면화해야 한다는 믿음을 '주입'받아왔다. 이것이 이른바 긍정적 사고의 기본이다. 기회를 향해 마음을 열어라, 모든 일을 수용하라, 모든 사람에게 '예'라고 말해라, 등등.

하지만 거절해야 할 건 거절해야 한다. 뭔가를 거절하지 않는다면, 인생의 의미를 찾을 수 없다. 다른 것보다 더 낫거나 바람직한 것이 전혀 없다면, 삶은 공허하고 무의미한 것이 되고, 결국 우리는 가치 없고 목적 없는 삶을 살게 될 것이다. 거절하거나 거절당하는 걸 피하면 마음이 편해질 때가 있다. 하지만 거절을 피하는 행위는 단기적인 쾌락과 함께 장기적인 방황을 선사할 뿐이다.

뭔가를 제대로 음미하려면, 자신을 거기에 제한해야 한다. 인생의 의미와 즐거움에는 수준이 있다. 수준 높은 의미와 즐거움에 닿으려면, 하나의 관계, 기술, 직업에 수십 년을 바쳐야 한다. 그리고 한 가지 일에 수십 년을 바치려면, 나머지 선택지를 거부해야 해야 한다.

하나의 가치를 선택하려면, 나머지 가치들을 거부해야 한다. 결혼을 인생에서 가장 중요한 부분으로 선택했다는 건, 코카인 파티를 인생에서 가장 중요한 부분으로 선택하지 않았다는 뜻이다. 마음을 터놓을 수 있는 친구가 있느냐를 기준으로 자신을 평가하기로 했다면, 그건 뒤에서 친구를 쓰레기 취급하지 않겠다고 마음먹은 것과 같다. 이것들은 전부 건전한 결정이지만 한결같이 거절을 포함한다.

요컨대 뭔가에 가치를 두려면, 우리는 뭔가에 신경을 써야 한다. 그리고 뭔가에 가치를 두려면, 그 외의 것을 거부해야 한다. 즉 X에 가치를 두려면, X가 아닌 것을 거부해야 한다. 거부는 가치관과 정체성을 유지하는 데 필수 불가결한 요소다. *무엇을 거부하느냐가 우리를 규정한다.*

(거부당하는 것이 두려워서) 아무것도 거부하지 않는다면, 아예 정체성 자체가 형성되지 않는다. 무슨 수를 써서라도 거부와 대립, 갈등을 피하려는 욕구, 모든 걸 동등하게 여기고 모든 걸 조화롭게 만들려는 욕구는 교묘하고 심각한 형태의 허세다. 응석받이들은 자신의 기분이 항상 좋아야 한다고 믿기 때문에 거절하거나 거절

당하는 상황 자체를 무조건 피하고 본다. 본인이나 타인의 기분이 나빠질 수 있으니까. 그리고 거절을 회피하기 때문에 이들은 쾌락과 자아도취에 빠져 가치 없는 삶을 살아간다. 이들이 신경 쓰는 것이라고는 쾌락을 조금이라도 더 유지해서 곧 닥쳐올 실패를 요리조리 피하고 고통스럽지 않은 척하는 것뿐이다.

거절은 인생을 살아가는 데 꼭 필요한 기술이다. 불행한 관계에 얽매이고 싶은 사람은 아무도 없다. 짜증 나고 불안정한 직장 생활에 얽매이고 싶은 사람도 없다. 하고 싶은 말을 못 하게 만드는 문화를 달가워하는 사람도 없다. 그런데 사람들은 언제나 그런 걸 선택한다.

솔직함은 인간의 본능이다. 우리가 솔직하게 살아갈 수 있는 한 방법은 서로 '아니오'라는 말을 일상적으로 하는 것이다. 그런 식으로 거절을 하면, 오히려 관계가 좋아지고 감정이 건전해질 것이다.

로미오와 줄리엣의 사랑이 불건전한 이유

옛날 옛적에 소년과 소녀가 있었다. 둘은 가문의 원수였다. 그런데 소녀의 가족이 개최한 파티에 이 덜떨어진 소년이 몰래 참석했다. 소녀가 소년을 바라보았을 때, 사랑의 천사가 소녀의 가슴에 바람을 불어넣어 소녀는 즉시 소년과 사랑에 빠졌다. 느닷없이 소년은 소녀의 정원으로 숨어들었고, 둘은 다음날 결혼하기로 맹세했다. 부모님이 서로 원수지간일 때는 그게 현실적이니까. 며칠 후, 이 사실을 알게 된 양가는 불호령을 내렸다. 화가 난 소녀는 이틀 동안 가사 상태에 빠지는 물약을 마셨다. 그러나 안타깝게도 이 젊은 한 쌍은 부부 관계가 원만하려면 대화를 많이 해야 한다는 걸 아직 몰랐고, 소녀는 신랑에게 물약에 관해 이야기하는 걸 깜빡했다. 그래서 소년은 신부의 가사 상태를 자살로 착각하고 말았다. 정신을 놓은 소년은 염병할 내세에서 그녀와 함께하겠다며 스스로 목숨을 끊었다. 소녀가 이틀 동안의 가사 상태에서 깨어나 보니, 신랑이 자살을 한 것 아닌가. 그래서 소녀 또한 소년을 따라 제 손으로 목숨을 끊었다. 끝.

『로미오와 줄리엣Romeo and Juliet』은 오늘날 우리 문화에서 '로맨스'와 동의어다. 또 영어권 문화에서 러브 스토리 자체이자, 감정의 이상향이다. 그런데 이야기를 찬찬히 곱씹어 보면, 얘들은 완전히 정신이 나갔다. 게다가 그걸 증명하려고 자살까지 했다!

일설에 의하면, 셰익스피어가 『로미오와 줄리엣』을 쓴 건 로맨스가 얼마나 정신 나간 짓인지 풍자하기 위해서였다고 한다. 그러니까 이 유명한 희곡이 사랑을 찬미하는 작품이 아니라는 말이다. 사실, 셰익스피어가 보여주려 한 건 '출입금지'가 깜박이는 거대한 네온사인과 그 주위를 경찰 통제선이 둘러싸고 있는 광경이라고 할 수 있다.

인류 역사에서 낭만적 사랑이 지금처럼 찬양받은 적은 없다. 사실 19세기 중반까지 사랑은 삶에서 더 중요한 것을 가로막는 불필요하고도 위험한 심리적 장애물이었다. 젊은이들은 일반적으로 낭만적 감정을 떨치고 자신과 가족에게 안정된 생활을 보장할 실리적인 결혼을 택해야 했다.

하지만 오늘날 우리 사회는 정신 나간 사랑을 부추긴다. 미친 사랑이 문화를 지배하고 있다. 극적이면 극적일수록 좋다. 벤 애플렉은 「아마겟돈」에서 사랑하는 여인을 위해 소행성을 부수고 지구를 구한다. 멜 깁슨은 「브레이브 하트」에서 영국인 수백 명을 죽이고, 고문으로 죽음에 이르는 순간에도 처참하게 살해된 아내를 떠올린다. 「반지의 제왕」에서 엘프 아르웬은 아라곤과 함께하기 위해 영생을 포기한다. 지미 팰런은 시시한 로맨틱 코미디 영화 「날 미치게 하는 남자」에서 드류 베리모어가 원한다는 이유로 보스턴 레드삭스 플레이오프 티켓을 판다. 비유를 하자면, 이런 식의 낭만적 사랑은 코카인처럼 위험하고, 우리는 마약으로 인해 파멸하고 마는 「스카페이스」의 토니 몬태나와 같다.

문제는 낭만적 사랑이 정말로 마약과 비슷하다는 점이다. 아주 소름 끼치게 비슷하다. 마약이 자극하는 두뇌 부위를 자극하고, 일시적으로 쾌락과 즐거움을 선사하지만, 문제를 해결함과 동시에 그만큼의 문제를 새로 만들어낸다.

우리가 죽고 못 사는 낭만적 사랑을 구성하는 요소들, 그러니까 극적이고 현기증 나는 애정 표현이나 롤러코스터를 타는 감정의 기복은 건전하고 진실한 사랑의 표현이 아니다. 사실상, 그건 관계를 통해 허세를 표출하는 행위라고 할 수 있다.

맥 빠지는 소리라는 건 나도 안다. 그렇지만 사실 까놓고 얘기하면, 진짜로 낭만적인 사랑을 하는 사람이 있기는 한가? 진정하고 내 말을 끝까지 들어보라.

세상에는 건전한 사랑이 있고, 불건전한 사랑이 있다. 불건전한 사랑을 하는 이들은 감정을 통해 서로 자신의 문제에서 벗어나려 한다. 다시 말해, 상대를 탈출구로 여긴다. 건전한 사랑을 하는 이들은 자신의 문제를 인정하고 처리하며 서로 격려한다. 건전한 관계와 불건전한 관계의 차이는 2가지로 요약된다. 첫째, 각자가 책임을 얼마나 잘 받아들이는가. 둘째, 각자가 기꺼이 상대를 거절하고 상대로부터 거절당할 수 있는가. 불건전하거나 치명적인 관계를 맺는 이들은 하나같이 책임감이 희박하며, 거절을 하지도 받아들지도 못한다. 건전하고 다정한 관계를 맺는 이들은 각자와 각자의 가치관에 명확한 경계를 두며, 필요하다면 언제든 서로 거절하고 거절을 받아들인다.

여기서 '경계'란, 두 사람이 각자의 문제에 대한 책임에 딱 부러지게 선을 긋는 걸 일컫는다. 이런 경계를 명확히 하는 건전한 관계를 맺는 사람들은 자신의 가치관과 문제만 책임질 뿐, 상대의 가치관과 문제는 책임지지 않는다. 반면에 이런 경계가 흐릿하거나 아예 없는 치명적 관계를 맺는 사람들은 보통 자신의 문제에 대한 책임은 회피한 채 오히려 상대의 문제를 책임지려 한다.

경계가 흐릿하다는 게 무슨 뜻인지 예를 들어 보겠다.

"친구 만날 거면 나도 같이 가. 내가 질투가 얼마나 심한지 알잖아. 그냥 나랑 집에 있자."

"내 직장 동료들은 멍청이야. 걔들 업무를 일일이 챙기느라 내가 맨날 회의에 늦는다니까."

"누나 앞에서 날 바보로 만들다니. 다시는 누나와 함께 있을 때 내

말에 토 달지 마!"

"맘에 드는 일자리가 있어. 하지만 내가 그렇게 멀리 가버리면 어머니가 화낼 거야."

"너랑 사귀고 싶긴 한데, 내 친구 신디가 알면 어떡해. 걔는 자기가 솔로일 때 나한테 남자친구가 생기면 엄청 불안해한단 말이야."

각 상황에서 화자는 다른 사람의 문제나 감정을 자기가 책임지거나, 자기 문제나 감정을 다른 사람이 책임지게 하고 있다.

일반적으로, 이들은 관계를 맺을 때 다음 두 가지 덫 중 하나에 빠진다. 하나, 타인이 자기 문제를 책임지길 바란다. "난 원래 이번 주말에 집에서 푹 쉬려고 했어. 당신이 그걸 알고 여행 계획을 취소했어야지." 둘, 오지랖 넓게 타인의 문제를 책임지려 한다. '그녀가 또 실직했다. 내 잘못이다. 내가 힘이 되어 주지 못했다. 내일 이력서 고쳐 쓰는 걸 도와줘야겠다.'

이들은 다른 일에서와 마찬가지로 인간관계에서도 이런 전략을 사용해서 자기 문제에 대한 책임을 회피한다. 그 결과, 이들의 관계는 상대를 진실하게 존중하고 아끼는 행위가 아니라, 자기 내면의 고통을 회피하는 행위로 이루어진 연약하고 거짓된 관계가 되고 만다.

이는 연인 관계만이 아니라 가족과 친구 관계에서도 마찬가지다. 강압적인 어머니는 자식이 살아가며 마주치는 모든 문제를 책임지려 하고, 그렇게 자란 아이는 결국 어른이 돼서도 타인이 자신의 문제를 책임져야 한다고 믿게 된다. (당신의 연애 문제가 당신 부모님의 관계와 묘하게 닮은 건 이 때문이다.)

감정과 행동에 대한 책임 소재를 분명히 하지 않으면, 즉 누가 무엇에 책임이 있는지, 누가 무엇을 잘못했는지, 어떤 행동을 왜 하는지를 분명히 하지 않으면, 절대 자신만의 가치관을 확립할 수 없다. 그저 상대를 행복하게 해주거나, 상대가 나를 행복하게 해주도록 만드는 것만이 유일한 가치가 될 것이다.

당연히 이건 자멸이다. 이런 식으로 책임을 흐리는 관계는 타이타닉처럼 온갖 드라마와 불꽃에 휩싸인 채 침몰하기 십상이다.

당신의 문제를 다른 사람이 대신 해결해줄 수는 없다. 그런 건 꿈도 꾸지 말라. 그건 당신을 행복하게 만드는 길이 아니다. 마찬가지로 당신도 다른 사람의 문제를 대신 해결해줄 수 없다. 이 또한 상대를 행복하게 만드는 길이 아니다. 불건전한 관계의 특징은 두 사람이 자기만족을 얻기 위해 상대의 문제를 해결하려 한다는 것이다. 이와 대조적으로, 건전한 관계의 특징은 두 사람이 상대에게 만족감을 주기 위해 자신의 문제를 해결하려 한다는 것이다.

적절한 경계를 형성한다고 해서 서로 도움을 주고받을 수 없는 게 아니다. 연인은 서로 도와야 한다. 하지만 오직 도움을 주고받기를 선택했을 때만 그래야 한다. 의무감이나 허세 때문에 그러면 안 된다.

허세꾼들이 자신의 감정과 행동을 다른 사람 탓으로 돌리는 건, 자신을 끊임없이 피해자로 꾸미다 보면 결국엔 누군가 나타나 자기를 구원하고 그토록 원하던 사랑을 줄 거라고 믿기 때문이다. 또 이들이 타인의 감정과 행동을 자기 탓으로 돌리는 건, 자기가 상대를 '고치고' 구원하면 그토록 원하던 사랑과 존중을 받게 될 거라고 믿기 때문이다. 이런 치명적 관계의 음과 양이 바로 피해자와 구원자다. 주목받기 위해 불을 지르는 사람과 주목받기 위해 불을 끄는 사람 말이다.

이런 두 가지 유형의 사람들은 서로 강하게 끌리기 때문에 결국 함께하게 된다. 이들은 병적인 측면에서 서로 딱 들어맞는다. 부모 역시 그런 유형의 사람인 경우도 흔하다. 그래서 이들이 생각하는 '행복한' 관계는 허세와 흐릿한 경계에 기초하게 된다.

슬프게도, 이들은 상대의 실제 욕구를 만족하지 못한다. 이들의 과도한 남 탓과 자기 탓은, 애초에 이들이 감정적 욕구를 만족하지 못하게 해 온 허세와 엉터리 자존감을 영속시킬 뿐이다. 피해자는 계속해서 문제를 만들어 내는데, 실제로 문제가 그만큼 존재하기 때문이 아니라, 문제를 만들면 자신이 갈망하는 관심과 애정을 받을 수 있기 때문이다. 구원자는 계속해서 문제를 해결하는데, 실제로 문제를 신경 쓰기 때문이 아니라, 관심과 애정을 받을 자격을 갖추려면 다른 사람의 문제를 고쳐야 한다고 믿기 때문이다. 어느 쪽이건, 이들의 의도는 이기적이고 조건적이며 자기 파괴적이다. 여기에 진정한 사랑 같은 건 눈을 씻고 찾아봐도 없다.

피해자가 구원자를 진심으로 사랑한다면, 이렇게 말할 것이다. "이건 내 문제야. 직접 해결할 테니 옆에서 응원해줘." *자기 문제를 스스로 책임지고 상대에게 책임을 묻지 않는 게 진정한 사랑이다.*

구원자가 피해자를 진심으로 도와주고 싶다면, 이렇게 말할 것이다. "네 문제를 남 탓으로 돌리지 마. 네 문제는 네가 책임져야

해.” 삐딱하게 들리겠지만, 이처럼 자기 문제를 자기가 해결하도록 돕는 게 진짜 사랑이다.

하지만 피해자와 구원자는 감정적 쾌락을 얻기 위해 서로를 이용한다. 서로에게 중독된 상태라고 해도 될 것이다. 역설적이게도, 이들은 감정적으로 건전한 사람을 만나면, 지루함을 느끼고 '화학반응'이 부족하다고 생각한다. 이들이 감정적으로 건전하고 안정적인 사람을 그냥 지나치는 건, 안정적인 상대의 견고한 경계가 '흥분'을 일으키지 않아서 지속적인 쾌락을 얻을 수 없기 때문이다.

피해자가 세상에서 가장 힘들어하는 건 자신의 문제를 스스로 책임지는 거다. 이들은 내 운명은 다른 사람 책임이라고 믿으며 평생을 살아간다. 스스로 책임지는 자세를 배운다는 건 이들에게 두려운 일이다.

구원자가 세상에서 가장 힘들어하는 건 다른 사람의 문제를 책임지기를 관두는 것이다. 이들은 다른 사람을 구원할 때만 자기가 가치 있고 사랑받는 사람이 된다고 믿으며 평생을 살아간다. 따라서 이런 욕구를 버리는 건 이들에게 두려운 일이다.

좋아하는 사람을 위해 희생할 때는 '스스로 원해서' 해야 한다. 의무감으로 또는 희생하지 않았을 때 생길 결과에 대한 두려움으로 희생하면 안 된다. 가령 당신 애인이 당신을 위해 희생한다면, 애인이 스스로 원해서 해야 한다. 당신이 분노나 죄책감을 이용해 애인을 희생하도록 몰아가면 안 된다. 사랑이라는 행위는 조건이나 기대가 없을 때만 타당하다.

의무감으로 하는 행동과 자발적으로 하는 행동의 차이를 식별하기가 쉽지 않을 수 있다. 그래서 여기 리트머스 시험지를 준비했다. 자신에게 물어보라. "내가 거절하면, 우리 관계가 어떻게 될까?" "내 애인이 내가 원하는 걸 거절하면, 우리 관계가 어떻게 될까?"

거절하면 난리가 나서 접시가 날아다닐 거라는 답이 나오면, 관계가 틀려먹었다는 뜻이다. 그건 당신 관계가 조건 없이 상대와 (상대의 문제를) 받아들이는 관계가 아니라, 상대로부터 얻는 피상적인 이익에 기초한 조건적인 관계임을 암시한다.

경계가 분명한 사람들은 짜증이나 논쟁, 상처받기를 겁내지 않는다. 경계가 흐릿한 사람은 이런 걸 두려워하고, 언제나 롤러코스터를 타는 감정 기복에 따라 행동한다. 경계가 뚜렷한 사람들은 두 사람이 서로 100퍼센트 일치하거나 상대의 욕구를 전부 충족하기를 바라서는 안 된다는 걸 안다. 이들은 자기가 때로는 상대의 마음을 아프게 할 수도 있다는 것, 그리고 자기가 상대의 마음을 결정할 수는 없다는 것을 안다. 이들은 건전한 관계란 서로의 감정을 조종하는 관계가 아니라, 상대의 성장과 문제 해결을 돕는 관계라는 것을 안다. 상대가 신경 쓰는 모든 것에 신경 쓰는 게 아니라, 상대가 어디에 신경을 쓰는지와 무관하게 상대에게 신경 쓰는 게 조건 없는 사랑이다. (알겠지, 자기야?)

관계를 무너뜨리는 선의의 거짓말

내 아내는 거울 앞에서 많은 시간을 보내는 여성이다. 예쁘게 보이는 걸 좋아하고, 나도 아내가 예쁘게 보이는 게 좋다(정말로). 저녁에 같이 외출하려면, 일단 아내가 화장실에 들어가서 한 시간 동안 화장과 머리, 옷 등 모든 단장을 마치고 나온 다음, 나한테 "나 어때?"라고 물어봐야 한다. 보통은 눈부시게 예쁘다. 하지만 가끔 이건 아니다 싶을 때도 있다. 새로운 머리 스타일을 시도했을 때 그랬고, 밀라노 출신의 대담한 패션 디자이너가 '아방가르드하다'고 평가한 부츠를 신었을 때도 그랬다. 그걸 시도한 이유가 뭐건 간에, 그건 정말 아니었다.

내가 그건 아니라고 하면, 아내는 버럭 화를 낸다. 약속에 30분 늦더라도 모든 걸 다시 하기 위해 옷장이나 화장실로 쿵쿵거리며 가는 동안 육두문자를 마구 내뱉는데, 때로는 아예 대놓고 나를 향해 툭툭 내던질 때도 있다. 남자들은 이런 상황에서 보통 여자친구나 아내를 기쁘게 하기 위해 거짓말을 한다. 하지만 난 그러지 않는다. 왜냐고? 난 항상 기분 좋게 지내는 것보다 정직이 관계에서 더 중요하고 생각하기 때문이다. 하늘이 무너져도 내가 사랑하는 여인 앞에서 내 생각을 검열하지 않을 거다.

다행스럽게도, 나는 내 솔직한 생각에 귀를 기울이고 동의하는 사람과 결혼했다. 물론, 아내가 나한테 헛소리하지 말라고 타박할 때도 있는데, 그게 배우자로서 내 아내의 최대 장점이다. 때로는 아내의 타박에 자존심이 상해 툴툴거리며 억지를 부리기도 하지만, 몇 시간만 지나면 난 댓 발은 나온 입으로 아내 말이 맞는다는 걸 인정하곤 한다. 핀잔 듣는 건 싫지만, 아내는 나를 더 나은 사람으로 만들어준다.

우리가 관계에서 최우선으로 생각하는 게 자신과 상대를 늘 만족시키는 거라면, 결국에는 아무도 만족하지 못하게 된다. 그리고 자기도 모르는 사이에 관계가 무너져 내린다. 갈등이 없다면, 신뢰도 있을 수 없다. 갈등은 조건 없이 내 옆에 있는 게 누구인지, 그저 이익 때문에 내 옆에 있는 게 누구인지를 보여준다. 예스맨을 신뢰할 사람은 아무도 없다. 실망 판다가 여기 있었다면, 인간관계에서 신뢰를 다지고 친밀감을 높이는 데는 고통이 필수라고 말했을 것이다.

건전한 관계를 지속하려면, 두 사람 모두가 '아니' 또는 '안 돼'라는 말을 주고받을 줄 알아야 한다. 이런 부정이 없다면, 즉 가끔씩 거절을 하지 않는다면, 경계가 무너져서 한 사람의 문제와 가치관이 다른 사람을 지배하게 된다. 갈등을 겪는 건 정상일 뿐만 아니라 건전한 관계를 유지하는 데 꼭 필요하다. 서로의 차이점에 대해 거리낌 없이 논쟁할 수 없다면, 그런 관계는 밑바탕에 감언이설과 사탕발림이 깔려 있는 것이기 때문에, 서서히 치명적인 관계로 치닫게 된다.

신뢰가 관계에서 가장 중요한 요소인 까닭은 단순하다. 신뢰가 없다면 관계는 사실상 아무 의미도 없기 때문이다. 난 널 사랑한다고, 너와 함께하고 싶다고, 너를 위해서라면 난 모든 걸 포기할 수 있다고 말하기는 쉽다. 하지만 신뢰가 없다면, 그런 말은 아무것도 아니다. 사람은 나를 향한 사랑에 아무런 조건도 마음의 응어리도 없다고 믿을 때 사랑을 느낀다.

바람이 관계를 파괴하는 건 그 때문이다. 문제는 섹스가 아니라, 섹스의 결과로 파괴된 신뢰다. *신뢰가 무너지면, 관계도 무너진다.* 이럴 때는 둘 중 하나를 택해야 한다. 신뢰를 회복하든지, 헤어지든지.

종종 이런 질문을 받는다. "배우자가 바람을 피웠는데, 헤어지기는 싫습니다. 어떻게 하면 배우자를 다시 믿을 수 있을까요? 신뢰가 사라지니 부부 관계가 마치 무거운 짐처럼, 감시해야 하는 폭탄처럼 느껴져요. 전처럼 즐겁지가 않네요."

여기서 문제는 바람피우다 걸린 사람들이 상대에게 사과한 뒤 "다시는 그런 일 없을 거야"라는 입에 발린 말로 사건을 덮는다는 거다. 마치 바람을 핀 것이 완전히 우연인 것처럼 말이다. 그런데 배우자의 바람을 경험한 사람들은 대체로 이런 말을 액면 그대로 받아들인다. 그리고 배우자의 가치관과 그 가치관이 배우자를 함께할 만한 좋은 사람으로 만들어주는지는 묻지도 따지지도 않는다. 이들은 관계를 이어가는 데 급급한 나머지 그와의 관계가 자기의 자존감을 빨아들이는 블랙홀이 되어버렸다는 사실을 깨닫지 못한다.

사람들이 바람을 피우는 건 그들에게는 관계보다 중요한 뭔가가 따로 있기 때문이다. 다른 사람 위에 서고 싶은 권력욕이나 섹스를 통한 자기과시 때문일 수도 있고, 이길 수 없는 충동 때문일 수도 있다. 그게 뭐든 간에, 바람둥이의 가치관은 건전한 관계와는 맞지 않는다. 바람둥이가 이 사실을 받아들이지 않는다면 또는 그럴 생각조차 하지 않는다면, 그리고 "나도 내가 왜 그랬는지 모르겠어. 요새 스트레스가 너무 심했나 봐. 술김에 그런 거야"와 같은 뻔한 대사를 읊는다면, 그는 관계 문제를 해결하는 데 필수인 깊은 자기인식을 결여한 사람인 것이다.

바람피운 사람은 '자기인식 양파'를 벗겨서, 어떤 엉터리 가치 때문에 자신이 신뢰를 깼는지 (그리고 자신이 아직 관계에 가치를 두고 있는지) 알아내야 한다. 요컨대 이렇게 말할 수 있어야 한다. "그래, 난 이기적이야. 난 우리 관계보다 내가 더 중요해. 솔직히 말하면, 난 우리 관계에는 신경 안 써." 바람둥이가 이런 엉터리 가치관을 드러내 자기가 그동안 그걸 우선시했다는 점을 보이지 않는다면, 앞으로는 그를 신뢰할 수 있을지 어떻게 알 수 있겠는가? *신뢰할 수 없다면, 관계가 나아지거나 달라질 일은 없다.*

깨진 신뢰를 다시 회복하는 또 다른 현실적인 방법은, 바로 실제 행동을 보는 것이다. 누군가 신뢰를 깼을 때는 일단 대화를 하는 게 좋다. 하지만 그다음에는 상대의 행동이 나아지는지를 꾸준히 지켜봐야 한다. 바람피운 사람이 이제는 올바른 가치관을 따르고 있는지, 앞으로는 정말 다른 모습을 보일 것인지 확인하는 방법은 이것뿐이다.

그러나 신뢰를 회복하는 데는 시간이 걸린다. 신뢰를 깨는 것과는 비교할 수 없을 만큼 오래 걸릴 것이다. 게다가 신뢰를 쌓는 동안 일이 꼬일 가능성이 크다. 그러니 두 사람 모두가 자신이 짊어지기로 선택한 투쟁이 무엇인지 분명히 의식해야만 한다.

이 과정은 다른 관계의 불화에도 적용된다. 허물어진 신뢰를 다시 쌓으려면 무조건 다음 단계들을 따라야 한다.

1 신뢰를 깬 사람이 자신의 어떤 가치관 때문에 불화가 생겼는지를 인정하고 실토한다.

2 신뢰를 깬 사람이 오랫동안 일관되게 나아진 모습을 보인다.

이 중 첫 단계가 없으면, 화해는 시도조차 할 수 없다.

신뢰는 사기그릇과 같다. 처음 깨뜨렸을 때는 조심조심 다시 붙일 수 있다. 하지만 또 한 번 깨뜨렸을 때는 조각조각 깨져서 다시 붙이는 데 훨씬 오랜 시간이 걸린다. 그렇게 여러 번 깨뜨리다 보면 결국엔 다시는 붙일 수 없게 산산이 흩어지고 만다. 세상엔 깨진 조각과 가루가 너무도 많다.

선택지가 많을수록 더 필요한 기술

현대 소비문화는 우리가 더 많은 걸 원하게 만드는 데 선수다. 모든 광고와 마케팅의 밑바탕에는 '많으면 많을수록 좋다'는 명제가 깔려 있다. 난 오랫동안 이 말을 믿었다. 더 많이 벌어라, 더 많이 여행하라, 더 많이 경험하라, 더 많이 연애하라.

하지만 더 많은 게 꼭 바람직한 건 아니다. 사실 우리는 일반적으로 적으면 적을수록 더 행복을 느낀다. 기회와 선택지가 지나치게 많을 때, 우리는 심리학자들이 '선택의 역설'이라고 부르는 것에 시달리게 된다. 우리는 선택지가 많을수록 어떤 선택을 하든 덜 만족하게 되는데, 그 까닭은 하나를 선택함으로써 포기해야 하는 다른 모든 선택지에 신경이 쓰이기 때문이다.

가령 집을 구입할 때 두 채 중에서 하나를 고른다면, 거리낌 없이 내 선택이 옳다고 확신하고, 자신의 결정에 만족할 것이다. 하지만 스물 여덟 채 중에서 하나를 고른다면, 선택의 역설을 경험하게 될 것이다. 오랫동안 고민하고, 의심하고, 자책하게 될 것이다. 내가 정말로 옳은 결정을 한 것인지, 내가 정말로 나의 만족감을 극대화한 것인지 계속 묻게 될 것이다. 그리고 이러한 확신과 완벽, 성공을 향한 욕구와 불안 때문에 불행을 맛보게 될 것이다.

그러면 어떻게 해야 할까? 음, 난 예전에 선택이라면 무조건 피하고 봤다. 내 목표는 최대한 선택지를 펼쳐진 그대로 두는 것이었다. 난 선택과 집중을 피했다. 아마 지금 당신이 그러고 있을 것이다.

한 사람, 한 장소, 한 직업, 한 활동에 몰입하면, 폭넓은 경험을 할 수 없다. 반면에 폭넓은 경험을 추구하면, 깊이 있는 경험을 할 기회를 잃는다. 한 장소에서 5년 동안 살 때, 한 사람과 10년을 함께할 때, 한 기술을 반평생 동안 갈고닦을 때, 오직 그럴 때만 얻을 수 있는 경험이 있다. 난 30대에 이르러서야, 다른 어떤 여행이나 활동으로도 얻을 수 없는, 오직 이런 선택을 통해서만 얻을 수 있는 기회와 경험이 많다는 걸 알게 되었다.

폭넓은 경험을 추구하면, 새로운 사람이나 사물, 새로운 사건을 하나씩 접할 때마다 얻는 것이 줄어든다. 처음으로 집을 떠나 다른 나라를 방문하면 세상을 보는 눈이 확 바뀌는데, 그건 기존의 관점이 좁은 경험을 바탕으로 하기 때문이다. 하지만 20개국을 돌아다니고 나면, 21번째 나라에서 얻을 수 있는 것이 줄어든다. 또 50개국을 돌아다니고 나서 51번째 나라를 갔을 때 얻을 수 있는 건 그보다 훨씬 더 적어진다.

돈, 취미, 직업, 친구, 연애나 섹스 상대를 비롯해 사람들이 스스로 선택하는 모든 변변찮고 피상적인 가치가 이와 마찬가지다. 나이가 들어 경험이 쌓일수록 새로운 경험이 우리에게 미치는 영향력은 감소한다. 난 처음으로 파티에 가서 술을 마셨던 날 짜릿함을 느꼈다. 100번째는 재미있었다. 500번째는 그냥 평범한 주말 느낌이었다. 1,000번째는 지루하고 시시했다.

지난 몇 년 동안, 내 개인사에서 가장 큰 사건을 꼽으라면 몰입을 선택한 것을 들 수 있다. 난 내 인생 최고의 사람들과 경험, 가치를 제외한 나머지 것은 전부 거부하기로 했다. 사업 계획을 전부 접고 글쓰기에만 집중했다. 그 뒤로 내 홈페이지는 그전까지는 상상하지도 못했던 인기를 얻었다. 오랫동안 한 여성에게 헌신하자, 놀랍게도 어떤 단기적 만남에서도 얻을 수 없었던 값진 보상을 받게 되었다. 한 지역에 정착하자, 소중하고 진실하며 건전한 친구 몇몇에게 전념하게 되었다.

직관에 완전히 반하는 내 발견은 몰입 안에 자유와 해방이 있다는 것이다. 내게 정말로 중요한 것을 선택해 집중하고 정신 사납게 하는 온갖 대안을 거부함으로써 난 더 많은 기회와 더 좋은 것을 얻었다.

몰입할 때 자유를 얻는 까닭은, 더는 사소하고 하찮은 일에 흔들리지 않게 되기 때문이다. 몰입하면 자유로운 까닭은, 중요한 일에 집중해 정신을 가다듬는 게 건강과 행복으로 가는 지름길이기 때문이다. 몰입하면 결정을 내리기 쉬워지고 좋은 것을 놓칠지 모른다는 두려움을 떨칠 수 있다. *지금 내게 있는 게 충분히 좋다는 걸 안*

다면, 무엇 때문에 마냥 더 좋은 것을 쫓아다니느라 스트레스를 받겠는가? 몰입하면 아주 중요한 몇 가지 목표에 집중할 수 있고, 이를 통해 다른 방법으로는 얻을 수 없는 대단한 성공을 이뤄낼 수 있다.

이처럼 대안을 거부할 때 우리는 자유를 얻는다. 다시 말해, 자신에게 가장 중요한 가치와 자신이 선택한 기준에 어긋나는 것을 거부할 때, 깊이 없이 폭넓은 경험만을 추구하기를 거부할 때, 우리는 자유로워진다.

그래, 어린 시절에는 경험의 폭을 넓히는 게 바람직하다. 아마 필수라 해도 좋을 거다. 결국엔 세상을 폭넓게 경험하면서 내 모든 걸 바칠 만큼 가치 있는 게 무엇인지 알아내야 한다. 하지만 황금이 묻혀 있는 곳은 깊다. 뭔가에 끊임없이 몰입해 깊이 파고들어 그걸 캐내야 한다. 관계, 직업, 훌륭한 생활 방식을 만들기를 비롯한 모든 일에서 마찬가지다.

9

결국 우리 다 죽어

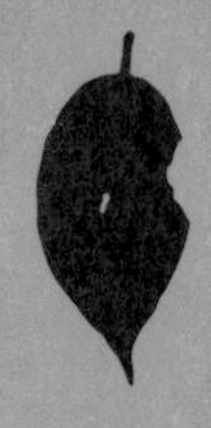

"스스로 진리를 구해.
그러면 그곳에서 만나게 될 거야."

인생 최악의 순간에 찾아온 깨달음

내 삶을 완전히 바꿔놓은 사건이 일어난 건 열아홉 살 때였다. 친구 조시가 내게 했던 말이 떠오른다. "스스로 진리를 구해. 그러면 그곳에서 만나게 될 거야." 조시는 그때 술에 취해 있었다. 그는 좋은 친구였다.

그날 조시는 호수에서 열리는 파티에 날 데려갔다. 언덕 위로는 콘도가, 아래로는 수영장이 있었다. 수영장 아래에는 호수가 내려다보이는 절벽이 있었다. 높이가 10미터쯤 되는 작은 절벽이었다. 대뜸 뛰어내리기는 어려운 높이였지만 알코올이나 주위의 부추김이 적절히 뒤섞인다면 망설임 따위는 단순에 사라질 만한 높이였다.

조시와 나는 파티에 도착하자마자 수영장에 자리를 잡고 맥주를 마시며 이야기를 나눴다. 우리는 고뇌하는 젊은 수컷이었다. 술과 밴드, 여자, 조시가 음악 학교를 그만둔 뒤 그해 여름에 했던 멋진 일들에 관해 얘기했다. 같이 밴드를 결성해서 뉴욕에 진출하자는, 당시로서는 말도 안 되는 꿈에 관해서도 얘기했다. 우리는 그냥 애들이었다.

"저기서 뛰어내려도 괜찮을까?" 내가 호수가 내려다보이는 절벽을 향해 고갯짓을 하며 물었다.

"그럼, 여기선 다들 그러고 놀아." 조시가 말했다.

"너도 해볼 거야?"

조시가 어깨를 으쓱했다. "글쎄. 봐서."

밤이 깊어지자 조시와 나는 갈라졌다. 난 비디오게임을 좋아한다는 귀여운 여자아이에게 정신이 팔렸다. 그 아이도 나한테 관심이 있는 건 아니었지만, 상냥해서 내 말을 잘 들어주었다. 맥주를 몇 잔 마신 뒤 용기가 생긴 나는 그 아이에게 콘도로 가서 뭘 좀 먹자고 했다. 그 아이도 좋다고 했다.

언덕을 오르는데 조시가 내려오는 모습이 보였다. 내가 같이 가서 먹자고 했지만, 조시는 괜찮다고 했다. 이따가 어디에 있을 거냐고 묻자 그가 웃으며 말했다. "스스로 진리를 구해. 그러면 그곳에서 만나게 될 거야!"

난 고개를 끄덕이며 진지한 표정으로 말했다. "알았어. 그곳에서 보자." 마치 진리가 어디에 있는지, 그곳에 어떻게 갈 수 있는지를 모두가 아는 것처럼.

조시와 나는 크게 웃었다. 그러고는 조시는 언덕 아래 절벽을 향해 걸음을 옮겼고, 난 언덕 위 콘도로 가던 발걸음을 재촉했다.

콘도 안에서 얼마나 머물렀는지는 기억이 안 난다. 여자아이와 함께 콘도를 나왔을 때, 밖에 아무도 없고 사이렌 소리가 울렸던 것만 기억난다. 수영장은 텅 비어 있었다. 사람들은 절벽 아래 물가를 향해 언덕을 내달리고 있었다. 이미 물가에 다다른 사람들도 있었다. 몇몇 사람들이 헤엄치는 모습이 눈에 들어왔다. 어두워서 제대로 보이지는 않았다. 음악이 계속 울려댔지만, 거기에 귀를 기울이는 사람은 아무도 없었다.

난 무슨 일인지 아직 감이 오지 않았다. 후다닥 물가로 달려가는 와중에도 샌드위치를 베어 물었다. 사람들이 뭘 보고 있는 건지 궁금했다. 절반쯤 내려가는데 여자아이가 말했다. "뭔가 끔찍한 일이 일어난 것 같아."

언덕 아래에 도착했을 때, 난 사람들한테 조시는 어디 있냐고 물었다. 사람들은 내게 눈길도 주지 않았다. 모두가 멍하니 호수를 응시했다. 난 다시 물었고, 여자아이는 실성이라도 한 듯 울음을 터뜨렸다. 난 그제야 감을 잡았다.

3시간 만에 호수 밑바닥에서 조시의 시신을 찾아냈다. 부검 결과에 따르면, 절벽에서 뛰어내릴 때 받은 충격과 알코올로 인한 탈수 때문에 다리에 쥐가 났었다고 한다. 조시가 물에 들어갈 때는 사방이 캄캄했고, 호수에는 어둠이 겹겹이 내려앉아 있었다. 살려달라는 소리가 어디에서 나는 건지 아무도 알 수 없었다. 첨벙거리는 소리만이 들릴 뿐이었다. 조시의 부모님이 나중에 들려주신 얘기에 의하면, 조시는 수영을 못했다고 한다. 난 그걸 몰랐다.

12시간이 지나고 나서야 눈물이 났다. 다음날 오스틴에 있는 집으로 돌아가는 차 안에서였다. 아빠한테 전화를 걸어서 아직 댈러스 근처라 일을 하루 쉬어야겠다고 말했다. (그해 여름에 아빠의 일을 돕고 있었다.) 아빠가 말했다. "왜? 무슨 일 있니? 괜찮은 거야?" 그때 모든 게 쏟아져 나왔다. 눈물이 솟구쳤다. 흐느낌과 절규와 콧물이

뒤따랐다. 난 차를 길가에 세운 뒤 전화기를 움켜잡은 채로 어린애처럼 울고불고했다.

난 깊은 우울증에 빠졌다. 그전에도 종종 우울하다고 생각했지만, 이번에는 무의미의 차원이 달랐다. 너무 슬퍼서 몸이 아플 정도였다. 사람들이 찾아와 내게 힘을 내라고 하면, 난 그들의 덕담을 가만히 듣고 예의바르게 행동했다. 이렇게 와주어서 얼마나 고마운지 모르겠다고 말했다. 겉으로는 억지로 미소를 짓고 점차 나아지고 있다고 거짓말을 했지만, 속으로는 아무 느낌도 없었다.

그 뒤로 몇 달 동안 조시가 꿈에 나왔다. 꿈속에서 조시와 나는 두서없고 무의미한 대화뿐만 아니라 삶과 죽음에 관한 알찬 대화도 나누었다. 그때까지 난 몰래 대마초를 피는 전형적인 중산층 아이였다. 게으르고, 무책임하고, 사람들을 두려워하고, 불안장애에 시달렸다. 조시는 여러모로 나보다 성숙해 보였다. 나이가 많고, 자신감이 넘치고, 경험이 풍부하고, 주변 세상을 열린 마음으로 받아들였다. 마지막으로 조시를 만났던 꿈에서 난 조시와 함께 거품 욕조에 앉아 있었다(좀 이상하긴 하다). 난 이렇게 말했다. "네가 죽어서 정말 유감이야." 조시가 웃었다. 그리고 정확히 기억나진 않지만, 조시는 대략 이렇게 말했다. "지금 네가 내 죽음에 신경 쓸 때니? 넌 여전히 사는 게 두려워서 벌벌 떨고 있잖아." 꿈에서 깨어났을 때, 난 눈물을 흘리고 있었다.

그해 여름, 난 엄마네 소파에 앉은 채로 절망의 구렁텅이에 빠져, 한때 조시와의 우정이 존재했던 무한하고 불가해한 심연을 바라보고 있었다. 그때 불현듯 이런 깨달음이 뇌리를 스쳤다. *어떤 것도*

해야 할 이유가 없다면, 어떤 것을 하지 말아야 할 이유도 없다. 어차피 언젠가 죽을 거라면 두려움이나 민망함, 수치심 따위에 굴복할 이유가 없다. 이것들은 결국 아무것도 아니다. 짧은 인생 대부분을 고통과 불편함을 피하는 데 써버린 나는 사실상 삶을 피해온 것이나 마찬가지다.

그해 여름, 난 대마초와 담배, 비디오게임을 끊었다. 록스타가 되겠다는 달콤한 상상에서 빠져나와 음악 학교를 그만둔 뒤 대학에 들어갔다. 체육관에 다니며 살을 엄청 뺐다. 새로운 친구를 사귀었다. 난생처음 여자친구를 만났다. 공부라는 걸 실제로 해보자, 일단 신경만 쓰면 좋은 점수를 받을 수 있다는 놀라운 사실을 알게 되었다. 다음 해 여름, 나 자신을 시험해 보기 위해 50일 안에 논픽션 50권을 읽기로 했고, 그걸 해냈다. 그 다음 해, 난 미국 동부 끝에 있는 명문 대학교로 편입했고, 그곳에서 처음으로 학업에서 실력을 발휘하고 친구들도 많이 사귀었다.

내 삶은 조시의 죽음 전과 후로 뚜렷이 나뉜다. 비극이 일어나기 전까지 난 내성적이고, 패기 없으며, 다른 사람의 시선을 신경 쓰느라 옴짝달싹 못 하는 아이였다. 비극이 일어난 후 난 새사람으로 거듭났다. 책임감 있고, 호기심 많고, 성실한 사람이 되었다. 여전히 나름의 불안과 응어리가 남아 있었지만, 이제는 불안과 응어리보다 중요한 일에 신경을 쏟았다. 그러면서 모든 게 달라졌다. 묘하게도, 마침내 내가 삶을 살아갈 수 있게 해준 건 다른 사람의 죽음이었다. *내 인생 최악의 순간이 나를 탈바꿈시킨 순간이었다.*

죽는다는 건 두려운 일이다. 두렵기 때문에 우리는 죽음에 관해 생각하거나 말하기를 꺼리며, 때로는 인정하지 않기까지 한다. 심지어 가까운 사람에게 죽음이 닥칠 때조차도.

하지만 역설적이게도, 죽음은 인생의 의미가 만들어내는 그림자를 측정할 수 있게 해주는 빛이다. 죽음이 없다면, 우리는 모든 걸 하찮게 느낄 것이며, 모든 경험을 제멋대로 판단할 것이다. 그리고 모든 기준과 가치가 갑자기 무의미해질 것이다.

죽음이 남긴 질문, 나는 무엇을 남길 것인가

바위에서 바위로 한 발 한 발 걸음을 옮기며 올라간다. 다리 근육이 땅기고 쑤신다. 몸을 천천히 격하게 계속 움직이니 정신이 몽롱하다. 그 상태로 난 정상에 가까워진다. 하늘이 열리고 깊어진다. 난 지금 혼자다. 친구들은 저 밑에서 바다 사진을 찍고 있다.

마침내 작은 바윗돌에 올라서니 시야가 확 트인다. 끝없는 수평선이 보인다. 마치 지구의 끝을 보는 듯하다. 그곳에서 물과 하늘이, 푸른빛이 푸른빛을 만난다. 바람이 피부를 날카롭게 스친다. 시선을 위로 향한다. 눈이 부시다. 아름답다.

난 남아프리카공화국의 희망봉(Cape of Good Hope)에 있다. 이곳은 한때 아프리카의 남쪽 끝으로, 또 세계의 최남단 지점으로 알려졌던 곳이다. 폭풍이 요란하게 몰아치고 파도가 변덕스레 넘실대는 곳. 사람들이 수백 년 동안 땀 흘려 교역과 무역을 한 곳. 그리고 아이러니하게도, 이곳은 절망의 곳이다.

포르투갈에는 "Ele dobra o Cabo da Boa Esperança"라는 말

이 있는데, "그가 희망봉을 돌고 있다"라는 뜻이다. 역시 아이러니하게도, 이는 한 사람이 인생의 마지막 단계에 도달해서 더는 뭔가를 해낼 수 없음을 의미한다.

바위를 가로질러 푸른빛을 향해 걸음을 옮긴다. 광대함이 시야를 에워싼다. 식은땀이 흐른다. 흥분과 긴장이 교차한다. 이건가? 바람이 귀를 때린다. 아무것도 들리지 않는다. 하지만 희망봉의 끝이 보인다. 바위와 망각이 만나는 곳이. 난 몇 미터 떨어진 곳에 잠시 멈춰 선다. 아래로 보이는 바닷물이 양쪽으로 몇 킬로미터를 뻗어 있는 절벽에 부딪혀 거품을 일으킨다. 파도는 꿰뚫을 수 없는 벽을 향해 세차게 몰아친다. 똑바로 나아가면, 높이가 적어도 50미터에 이르는 깎아지른 낭떠러지가 나온다.

오른쪽에는 관광객들이 아래의 풍경을 가로질러 여기저기 흩어져 있다. 사진을 찍고 개미처럼 몰려다닌다. 왼쪽은 아시아다. 앞쪽에는 하늘이, 뒤쪽에는 내가 바라온 그리고 내가 가지고 온 모든 것이 있다.

이거라면? 이게 전부라면?

주위를 둘러본다. 난 혼자다. 벼랑 끝을 향해 첫발을 내디딘다.

인간의 몸에는 죽음을 감지하는 자연적 레이더가 있는 것 같다. 예를 들어, 난간이 없는 벼랑의 3미터 앞에 이르면, 긴장감이 몸을 파고든다. 허리가 뻣뻣해지고, 살갗에 잔물결이 인다. 눈은 주변 환경을 낱낱이 지각한다. 발은 돌덩이처럼 무거워진다. 거대한 투명 자석이 몸을 안전한 곳으로 천천히 잡아당기는 느낌이 든다. 그러나 난 자석과 싸운다. 돌덩이가 된 발을 벼랑 끝으로 끌고 간다.

1.5미터 앞에 이르자, 가슴이 울렁거린다. 이제 벼랑 끝만이 아니라, 아래로 절벽의 앞면이 보인다. 온갖 불길한 장면이 눈앞을 스친다. 발을 헛디딘다면? 추락해서 물보라를 일으키며 죽는 건 아닐까? 마음이 내게 절벽이 진짜 진짜 높다고 말한다. 음, 진짜 높다. 야, 너 지금 뭐 하는 거야? 그만 가. 멈춰.

난 마음에게 닥치라고 한 뒤, 계속해서 조금씩 앞으로 나아간다.

1미터 앞, 몸 전체에 빨간불이 들어온다. 이제는 어쩌다 신발 끈만 잘못 밟아도 인생이 끝난다. 돌풍이라도 불면, 내 몸은 둘로 나뉜 푸른빛 영원으로 떠밀려가겠지. 다리가 후들거린다. 손도 떨린다. 아래로 곤두박질쳐 죽을 일은 없다는 걸 스스로 상기할 필요가 있을 때에 대비해, 목소리도 떨린다.

보통은 1미터가 한계다. 이 거리는 몸을 앞으로 기울이면 수면이 살짝 보일 만큼 가깝지만, 진짜로 죽을 위험은 없다는 안심이 들 만큼 멀다. 희망봉처럼 넋을 잃게 아름다운 곳일지라도, 벼랑 끝에 이렇게 가까이 서면 어지럽고 속이 울렁거리게 마련이다.

이건가? 이게 전부인가? 난 이미 모든 걸 알고 있는 건가?

앞으로 반걸음을 내디딘다. 그리고 또 반걸음. 이제 60센티미터. 앞에 놓은 다리에 체중을 싣자 다리가 사시나무 떨듯 떨린다. 난 멈추지 않고 다리를 잡아끈다. 자석에 맞서서. 내 마음에 맞서서. 나를 올바른 길로 이끄는 생존 본능에 맞서서.

이제 30센티미터. 난 절벽의 얼굴을 똑바로 내려다본다. 갑자기 감정이 북받쳐 눈물이 나려 한다. 상상과 이해할 수 없는 무언가로부터 자신을 보호하기 위해 몸이 본능적으로 움츠러든다. 바람이 폭풍이 된다. 생각이 라이트 훅을 날린다.

이 거리에 있으면, 몸이 둥둥 떠 있는 느낌이 든다. 그저 아래를 똑바로 내려다보았을 뿐인데, 마치 내가 하늘의 일부가 된 듯한 느낌을 받는다. 그런데 실제로는 이런 순간에 추락하는 경우가 있다.

난 잠시 쪼그려 앉은 채로 숨을 고르며 생각을 가다듬는다. 바위를 때리는 바닷물을 간신히 내려다본다. 그러고는 다시 오른쪽을 본다. 아래에서 작은 개미들이 표지판 주위를 서성대고, 사진을 찍고, 관광버스로 뛰어간다. 혹시라도 누군가 날 보지는 않을까? 터무니없는 생각이다. 사실 이 모든 게 다 터무니없다. 이렇게 높이 있는 나를 알아보기란 불가능하다. 설령 가능하다 해도, 저렇게 멀리 있는 사람들이 나와 의사소통할 방법은 없다.

들리는 건 바람 소리뿐이다.

이건가?

몸에 전율이 일며, 공포가 희열과 황홀함으로 바뀐다. 난 정신을 집중해 생각을 비우고 일종의 명상 상태에 빠진다. 자신의 죽음을 목전에 두는 것만큼 나를 존재하고 의식하게 하는 건 없다. 다시 몸을 똑바로 하고 주위를 보며 미소 짓는다. 그리고 속으로 되뇐다. 죽어도 좋다고.

자발적으로, 심지어 열정적으로 자신의 필멸을 삶과 조화시키는 행위의 뿌리는 고대로 거슬러 올라간다. 고대 그리스와 로마의 스토아학파는 삶을 깊이 음미하고 역경이 닥쳐도 겸허함을 잃지 않기 위해서는 늘 죽음을 염두에 두어야 한다고 호소했다. 다양한 종파의 불교에서는 일반적으로 명상을 살아 있는 동안에 죽음을 준비하기 위한 수행으로 가르친다. 자아를 광대한 무로 풀어 헤치는 것, 즉 열반이라는 깨달음의 경지에 이르는 것은 자신을 저세상으로 보내는 연습을 하는 것과 같다. 심지어 핼리혜성과 함께 왔다 핼리혜성과 함께 떠난 괴짜 털보 마크 트웨인조차 이렇게 말했다. "죽음에 대한 공포는 삶에 대한 공포에서 비롯한다. 삶을 충실히 사는 사람은 언제든 죽을 준비가 되어 있다."

다시 절벽, 난 몸을 굽히고 뒤로 살짝 기댄다. 두 손을 뒤로 해 땅을 짚은 뒤 엉덩이를 살포시 바닥에 댄다. 그다음 한 다리를 천천히 벼랑 끝으로 미끄러뜨린다. 절벽 면에서 돌출된 작은 바위가 있다. 그 위에 다리를 얹는다. 다른 쪽 다리도 똑같이 그 바위에 올린다. 손바닥에 몸을 기댄 채로 잠시 그렇게 앉아 있는다. 바람이 머리카락을 헝크러뜨린다. 수평선에 시선을 고정하고 있으니 불안이 잦아든다.

허리를 세우고 앉아 다시 절벽을 바라본다. 공포가 척추를 타고 올라온다. 팔다리가 찌릿찌릿하고, 정신이 온몸 구석구석을 샅샅이 훑는다. 공포 때문에 간헐적으로 숨이 막힌다. 하지만 숨이 막힐 때마다, 난 마음을 비우고 절벽의 아랫부분에 집중한다. 나의 운명을 바라보며, 나라는 존재를 있는 그대로 받아들인다.

난 세상의 끝, 희망의 최남단, 동쪽으로 가는 관문에 앉아 있다. 기분이 최고다. 아드레날린이 온몸을 타고 흐르는 게 느껴진다. 고요하게 의식에 집중하는 게 이렇게 짜릿했던 적은 없다. 바람에 귀를 기울이고 바다를 응시하며 지구의 끝을 바라본다. 난 햇빛을 받으며 웃는다. 햇빛 아래 있는 모든 게 좋다.

자신이 결국 소멸하리라는 사실을 정면으로 마주해보는 게 중요한 이유는, 그 행위가 덧없고 피상적인 엉터리 가치를 삶에서 싹 없애주기 때문이다. 대부분의 사람이 돈을 더 버느라, 명성을 조금 더 얻고 주목을 조금 더 받느라, 또는 자기가 옳거나 사랑받고 있다는 걸 조금 더 확신하느라 자기에게 주어진 시간을 축내는 동안, *죽음은 우리에게 훨씬 더 고통스럽고 중요한 질문을 던진다. 나는 무엇을 남길 것인가?*

내가 세상을 떠나면, 세상이 어떻게 달라질까? 더 나아질까? 나는 어떤 흔적을 남길 것인가? 어떤 영향을 남길 것인가? 사람들은 아프리카에서 나비 한 마리가 날갯짓을 하면 플로리다에 허리케인이 생길 수 있다고 말하는데, 내가 지나간 길에 어떤 허리케인을 남길 것인가?

어니스트 베커가 지적했듯이, 삶에서 진정으로 중요한 질문은 오직 이것뿐이다. 그건 분명하다. 하지만 우리는 이것에 관해 생각하기를 피한다. 이유는 다음과 같다. 첫째, 힘들다. 둘째, 겁난다. 셋째, 우리는 자기가 뭘 하고 있는지 전혀 모른다.

이 질문을 피하는 건 온갖 종류의 하찮은 가치관이 두뇌를 장악해 욕구와 포부를 지배하게 두는 것이나 마찬가지다. 죽음을 늘 의식하지 않는다면, 하찮은 것이 중요해 보이고, 중요한 것이 하찮게 보일 것이다. 죽음은 우리가 유일하게 확실히 알 수 있는 것이다. 요컨대, 죽음은 다른 모든 가치와 결정의 방향을 정해주는 나침반이 되어야 한다. 이것이 우리가 물어야 하지만 절대 묻지 않는 모든 질문에 대한 올바른 답이다. 죽음을 마음 편히 받아들이는 유일한 길은 자신을 자신보다 더 큰 무언가로 여기는 것이다. 다시 말해 자신에게 도움이 되는 걸 넘어서는 가치를, 단순하고 직접적이며 통제할 수 있고 혼란한 이 세계에 적합한 가치를 선택하는 것이다. 이것이 모든 행복의 뿌리다. 아리스토텔레스, 하버드의 심리학자, 예수, 또는 망할 비틀스, 당신이 누구의 말에 귀를 기울이든, 이들은 행복의 근원으로 똑같은 걸 말할 것이다. *너 자신보다 대단한 것에 신경 써라.* 자신이 거대한 영원의 일부임을, 자신의 삶이 이해할 수 없는 위대한 생성의 일부를 이루는 과정일 뿐임을 받아들여라. 사람들이 교회에 가는 건 이런 느낌 때문이다. 전쟁에 나가 싸우는 것도 이 때문이다. 가정을 꾸리고, 연금을 적립하고, 다리를 건설하고, 휴대전화를 발명하는 것도 이 때문이다. 내가 나보다 더 위대한 알 수 없는 무언가의 일부라는 찰나의 느낌 때문이다.

허세는 우리로부터 이것을 앗아간다. 허세의 중력은 모든 주의를 자아 쪽으로 끌어당긴다. 그 결과 우리는 내가 우주에서 일어나는 모든 문제의 중심에 있다고, 내가 세상의 모든 부당함을 몸소 겪고 있는 사람이라고, 내가 그 어떤 누구보다 위대해질 바로 그 사람이라고 느끼게 된다.

허세는 매혹적이지만, 우리를 고립시킨다. 허세에 빠지면, 세상을 향한 호기심과 흥분이 내면으로 향하고, 만나는 모든 사람과 경험하는 모든 사건에 내 생각과 편견을 반영하게 된다. 이런 느낌은 굉장히 유혹적이고, 여기에 빠져 있으면 한동안은 기분이 좋다. 또 남들에게 허풍 떨기도 좋을 것이다. 하지만 허세는 정신의 독이다.

현대인의 정신 구조는 다음과 같다. 우리는 물질적으로 대단히 풍요롭지만, 정신적으로는 온갖 천박하고 저질스러운 것들에 시달린다. 사람들은 자기 책임은 저버린 채, 사회가 자기 기분과 감정을 맞춰주길 바란다. 제멋대로 자기가 뭐든 안다고 확신한 뒤, 말 같지도 않은 대의명분을 내세워 다른 사람에게 자기 생각을 강요한다. 거짓 우월감에 도취한 사람들은 괜히 가치 있는 일을 했다가 실패하면 망신이라고 생각하기 때문에 나태와 무기력에 빠져든다.

현대인이 이런 정신 상태를 애지중지한 결과, 뭔가를 가질 자격이 없으면서도 자기가 그걸 가질 자격이 있다 믿는 사람들, 그리고 치러야 할 대가를 치르지 않고도 자기가 그걸 가질 권리가 있다고 믿는 사람들이 생겨났다. 실제로는 아무것도 한 게 없는 자들이 스스로를 전문가, 사업가, 발명가, 혁신가, 이단아, 선생님이라고 일컫는다. 이들이 이런 짓을 하는 건, 실제로 자기가 다른 어떤 사람보다 대단하다고 생각하기 때문이 아니라, 특별한 것만을 떠들어대는 세상에서 인정받으려면 자기가 대단해야 할 필요가 있다고 느끼기 때문이다.

오늘날 우리의 문화는 주목받는 것과 성공이 마치 하나인 것처럼 취급한다. 하지만 둘은 다르다.

당신은 이미 대단하다. 당신이 알건 모르건, 다른 사람이 알건 모르건 간에. 당신이 아이폰 앱을 출시했거나, 학교를 조기 졸업했거나, 멋진 보트를 샀기 때문이 아니다. 대단함은 이런 것들로 규정되지 않는다.

당신이 대단한 건, 끝없는 혼란과 피할 수 없는 죽음 앞에서도,

어디에 신경을 쓰고 어디에 신경을 끌지를 계속 선택하고 있기 때문이다. 삶을 살아가며 나름의 가치를 스스로 선택하고 있다는 이 단순한 사실이 이미 당신을 아름답고 성공적이며 사랑받는 사람으로 만들어주고 있다. 심지어 당신이 깨닫지 못했을지라도. 심지어 당신이 배를 곯으며 시궁창에서 자고 있다 하더라도.

당신도 남들처럼 죽을 것이다. 그리고 그건 당신도 남들처럼 운 좋게 지금까지 살아 있기 때문이다. 잘 모르겠다고? 기회가 되면 벼랑 끝에 한번 서보라. 그러면 알게 될 것이다.

부코스키가 말했다. "우리는 다 죽는다. 우리 모두가. 저런! 이 사실 하나만으로도 우리는 서로 사랑해야 하는데, 현실은 그렇지 않다. 우리는 인생의 사소한 문제에 벌벌 떨고 기죽는다. 아무것도 아닌 게 우리를 먹어 치운단 말이다."

그날 밤 호숫가에서, 나는 구급대가 내 친구 조시를 호수에서 건져내는 장면을 봤다. 기억난다. 그리고 텍사스의 칠흑 같은 밤을 응시했을 때, 내 자아가 천천히 그 안으로 녹아 없어지는 걸 봤다. 조시의 죽음은 처음에 생각했던 것보다 훨씬 많은 걸 내게 가르쳐줬다. 그래, 그 이후 난 오늘을 즐기고, 내 선택에 책임을 지며, 남 신경 쓰지 않고 내 꿈을 좇게 되었다.

하지만 이것들은 더 심오하고 근본적인 교훈의 부수적인 효과다. 그리고 근본적인 교훈은 바로 이것이다. 겁낼 것 없다. 전혀. 그리고 이 깨달음을 마음의 정중앙에 놓는 데 도움이 되는 유일한 방법은 내가 죽을 것이라는 사실을 거듭 상기하는 것이다. 방법은 다양하다. 명상을 하거나 철학책을 읽어도 되고, 남아프리카공화국의 절벽에 서는 것처럼 미친 짓을 해도 된다. 나의 죽음을 받아들이고 나의 덧없음을 이해한 뒤로 모든 게 쉬워졌다. 이를테면 중독에서 벗어나고, 나의 허세를 확인해 맞섰으며, 내 문제를 책임지게 되었다. 또한 두려움과 의심으로 인한 고통이 가벼워졌고, 실패와 거절을 받아들이기가 수월해졌다. 이 모든 것이 언젠가는 내가 죽을 것이라는 생각을 한 덕이었다. 어둠을 깊이 들여다볼수록, 삶이 밝아지고, 세상이 고요해지며, 어떤 것에건 무의식적으로 저항하는 습관이 줄어든다.

잠시 희망봉에 앉아 전경을 바라본다. 마침내 이제 내려갈 때라는 생각이 든다. 양손을 엉덩이 뒤쪽 바닥에 대고 몸을 뒤로 뺀다. 그리고 천천히 일어선다. 주변의 땅바닥을 살펴서 돌부리가 나를 파괴하기 위해 기다리고 있지는 않은지 확인한다. 안전을 확인한 뒤, 현실로 돌아가는 발걸음을 내디딘다. 1.5미터. 3미터. 한 걸음 한 걸음 내디딜 때마다 몸이 제 질서를 되찾는다. 발이 가벼워진다. 삶이란 자석의 이끎에 내 몸을 맡긴다.

바위를 건너 등산로로 돌아가는데, 한 남자가 나를 바라보는 모습이 눈에 들어온다. 난 멈춰 서서 그와 눈인사를 한다.

"음, 좀 전에 저기 벼랑 끝에 앉아 있더군요." 그가 호주 특유의 억양으로 말하며 남극 방향을 가리킨다.

"네, 경치가 정말 멋지죠?" 난 미소 짓는다. 그는 웃지 않는다. 표정이 심각하다. 난 반바지에 손을 턴다. 자신을 내려놓은 여운이 아직 남아서인지 몸이 윙윙거린다. 어색한 침묵이 흐른다. 호주 남자는 잠시 선 채로 머뭇거린다. 여전히 나를 보고 있는데, 무슨 말을 할지 궁리하고 있는 게 분명하다. 잠시 뒤, 그가 조심스럽게 입을 뗀다.

"괜찮아요? 기분은 좀 어떤가요?"

난 미소를 잃지 않으며 잠시 뜸을 들인다. "살아 있는 느낌이 드네요."

그는 의심을 거두고 대신 미소를 보인다. 고개를 살짝 끄덕인 뒤, 산길을 따라 내려간다. 난 꼭대기에서 경치를 감상하며 친구들이 올라오기를 기다린다.

감사의 말

난삽했던 초고를 명료하게 다듬는 데는 여러 사람의 손길이 필요했다.

먼저, 똑똑하고 아름다운 내 아내 페르난다에게 감사한다. 아내는 내가 엇나갈 때면 주저 없이 그건 아니라고 말한다. 그녀는 나를 더 좋은 사람으로 만들어준다. 그녀의 조건 없는 사랑과 내 글에 대한 의견이 없었다면, 이 책은 나올 수 없었을 것이다.

오랜 세월 자식의 헛짓거리를 참아 내고 변함없이 사랑해주신 부모님께 감사드린다. 난 이 책에 나오는 개념을 이해하기 전까지는 여러모로 진정한 성인이 아니었던 것 같다. 그런 면에서, 지난 몇 년 동안 성인으로서 부모님을 마주하게 된 건 큰 기쁨이었다. 형에게도 감사를 전한다. 난 우리가 서로 사랑하고 존중한다는 걸 조금도 의심하지 않는다. 형이 답장을 안 해서 내가 삐칠 때가 있긴 하지만.

필립 켐퍼와 드루 버니의 명석한 두뇌는, 내 두뇌를 실제보다 훨씬 돋보이게 해준다. 두 브레인의 성실함과 재기에 난 매일 같이 깜짝깜짝 놀란다.

마이클 코벨은 내가 심리학 연구를 제대로 이해하고 있는지 꼼꼼히 감수했으며, 내 가정에 끊임없이 이의를 제기했다. 입버릇이 나보다도 몇 배는 고약한 편집자 루크 뎀프시는 내 글을 인정사정없이 쥐어짰다. 내 에이전트 몰리 글릭은 이 책이 내 예상보다 더 넓은 세계에 진출할 수 있게 도와줬다. 테일러 피어슨, 댄 앤드루스, 조디 에텐버그는 내가 책을 쓰는 동안 책임감과 제정신을—작가는 이 두 가지만 있으면 그만이다—유지할 수 있게 응원해줬다.

마지막으로, 블로그에 인생에 관한 글을 올리는 입에 걸레 문 보스턴 출신 얼간이의 말을 어쨌거나 한번 들어보기로 한 수백만의 사람에게 감사의 말을 전한다. 수많은 사람이 이메일을 통해 생판 남인 나에게 자신의 가장 은밀한 사생활을 털어놓았다. 난 이들 덕에 영감을 얻었고 겸손해졌다. 난 지금까지 수천 시간을 들여 이 책에 나오는 주제들을 공부했다. 하지만 나에게 진정한 가르침을 주는 건 언제나 여러분이다. 고맙다.

옮긴이 한재호

연세대학교 철학과를 졸업했다. 영어 강사와 회사원을 거쳐 현재 번역가로 일하고 있다. 번역한 책으로는 『걱정을 조절하는 7가지 방법』, 『의식에 관한 대화』가 있다.

신경 끄기의 기술

초판 1쇄 발행 2017년 10월 27일
초판 4쇄 발행 2017년 11월 20일

지은이 마크 맨슨
옮긴이 한재호

발행인 윤새봄
본부장 김정현 편집인 김남연
편집장 김민영 편집 김선영
마케팅 권영선 홍보 박현아
제작 류정옥 국제업무 박나리, 최아림, 이혜명

디자인 오필민디자인 일러스트 두진욱

주소 서울시 마포구 독막로 10 성지빌딩 4층 웅진씽크빅 갤리온
주문전화 02-3670-1595 팩스 02-3143-5508
문의전화 031-956-7062(편집) 031-956-7169(영업)
홈페이지 www.wjthinkbig.com/wjbooks
페이스북 www.facebook.com/wjbook
블로그 blog.naver.com/galleonbook 이메일 wjgalleon@gmail.com

발행처 ㈜ 웅진씽크빅
임프린트 갤리온
출판신고 1980년 3월 29일 제406-2007-000046호

ISBN 978-89-01-21994-3 (03190)